Certificazione di Italiano Ling

| Lisa Loccisano |

percorso
CILS

UNO
B1

manuale di preparazione e approfondimento

 CD audio
scaricabile dal sito

ornimi
EDITIONS

Simone Scafi è docente di lingua e cultura italiana dal 2004.

Attualmente lavora presso la Facoltà di Lingue e letterature straniere e Culture moderne dell'Università di Torino (dal 2009) e presso la Scuola internazionale per stranieri Ciaoltaly di Torino (dal 2009).

Ad oggi, ha insegnato lingua e cultura italiana agli stranieri per più di 12000 ore

considerando anche le scuole pubbliche e private in cui ha prestato servizio ed i Programmi di apprendimento permanente (2007-2013) ed Erasmus + (2014-2018).

Ha insegnato ed insegna anche per il Master di Didattica della lingua italiana per stranieri (MITAL2) per l'Università di Torino con moduli su Certificazioni linguistiche e tecniche didattiche.

Ha lavorato su diversi progetti di ricerca sulle Certificazioni linguistiche e sull'accreditamento di esse presso il Miur. È esaminatore di lingua italiana per stranieri CILS, CELI e AIL e formatore DITALS.

Ha diretto sei edizioni del Master di Didattica della Lingua Italiana per stranieri (organizzato dalla Scuola Ciaoltaly) e coordina per la stessa Scuola il corso in preparazione all'esame DITALS (quarta edizione).

Collabora anche con la Scuola Leonardo di Firenze sulla Certicazione AIL.

Grazie ai suoi titoli universitari (la sua prima laurea è in cinema italiano, solo più tardi ha completato il percorso di didattica della lingua italiana per stranieri) ha intrapreso un progetto di ricerca sulla didattica alternativa (un nuovo modo di usare il cinema italiano) attraverso un PHD a distanza per un'università in UK.

....

Lisa Loccisano è attualmente docente di italiano per stranieri presso Ciao Italy dove tiene corsi di lingua, si occupa di corsi per studenti sinofoni del progetto Marco Polo e Turandot, di corsi di formazione DITALS e di corsi di preparazione all'esame CILS.

Dopo essersi laureata presso l'Università degli Studi di Torino si è specializzata in didattica dell'italiano per stranieri presso l'Università Statale di Milano, con il Master PROMOITALS, e presso l'Università Ca' Foscari di Venezia, dove sta concludendo il Master ITALS di II livello.

Ha frequentato, e continua a frequentare, corsi di formazione e aggiornamento presso le Università per Stranieri di Perugia e Siena dove ha ottenuto i titoli di esaminatore CELI, somministratore CILS e formatore DITALS.

Ha collaborato con l'IIC di Tirana in corsi di italiano LS, si è inoltre occupata di progetti di Italiano per studiare nelle Scuole Medie Inferiori statali e di corsi di italiano settoriale presso multinazionali site sul territorio torinese. Infine ha collaborato, e collabora, con il CLA dell'Università degli Studi di Torino come docente di italiano L2/LS ed esaminatore CELI.

Redazione: **Gennaro Falcone**

Impaginazione e progetto grafico: **ORNIMI editions**

© 2019 ORNIMI editions
ISBN: 978-618-84586-5-9

ORNIMI editions
Lontou 8
10681 Atene
T. +30 210 3300073
www.ornimieditions.com

Premessa

Percorso CILS
Manuale di preparazione e approfondimento

Percorso CILS UNO-B1 è un manuale, pensato e realizzato per essere usato sia in **autonomia** sia in **classe**, che offre una **panoramica** completa dell'esame e consente di conoscerne la **struttura** e le **strategie** di svolgimento. Questo vuole essere un libro utile per conoscere, attraversare e superare l'esame di lingua italiana per stranieri CILS. Il titolo scelto rispecchia l'unicità di questo manuale.

Perché la parola percorso nel titolo?

L'uso della parola *percorso* **è un uso** figurato che vuole rappresentare l'evoluzione, il processo di graduale avanzamento e trasformazione in cui lo studente è guidato tra le pagine del volume. Questi elementi rispecchiano la struttura scelta e adottata nella preparazione di questo manuale. Qui lo studente è guidato gradualmente e per *step* alla conoscenza della struttura, alle tempistiche, ai contenuti ed alla scoperta delle diverse prove d'esame.

I testi proposti sono stati scritti rispettando quelle caratteristiche necessarie, definite dal *Quadro Comune Europeo di Riferimento*, che definiscono un testo adatto ad un livello B1, tra queste ci sono:

- il numero di parole e la lunghezza complessiva del testo;
- le diverse tipologie testuali presenti nelle prove d'esame (testi espositivi, informativi, regolativi…);
- l'uso del lessico previsto per il livello B1;
- la considerazione delle diverse strutture richieste in ricezione e produzione al livello B1.

Con il rispetto di questi criteri nella produzione di testi originali e unici, gli studenti, e i docenti, sono guidati gradualmente alla preparazione e all'approfondimento dell'esame a piccoli passi attraverso un manuale strutturato in modo semplice, ma al contempo in modo completo e **versatile**, che si adatta al contesto classe, ma anche all'autoapprendimento.

Questa struttura comprende **4 macrosezioni:**

- **Introduzione**
- **Preparazione all'esame**
- **Quaderni d'esame**
- **Esercitazione**

Introduzione

L'introduzione è il primo passo verso la preparazione dell'esame ed è stata pensata per fornire una conoscenza teorica attraverso la presentazione di quegli elementi che si ritengono necessari, tra questi si trovano:

- la presentazione dell'esame B1;
- le tempistiche e le modalità di svolgimento delle singole prove;
- i contenuti richiesti al livello B1 con la presenza di un sillabo grammaticale B1 e uno complessivo di livello intermedio B1-B2 che rispecchiano le indicazioni fornite dal *Quadro Comune Europeo di Riferimento*;
- alcuni consigli che si ritengono utili sia per i docenti che per gli studenti;
- un'utile presentazione dei criteri di attribuzione dei punteggi.

Preparazione all'esame

Questa sezione è la parte centrale del manuale ideata in modo innovativo proprio per rispondere alla necessità di un libro utilizzabile in autoapprendimento, ma al contempo stesso in un contesto classe. L'unicità di questa sezione è data dalla presenza di:

- due quaderni d'esame completi divisi per abilità. La scelta di questa suddivisione è nata per rispondere alle dinamiche d'aula dove il docente è facilitato a guidare i propri studenti all'approfondimento delle singole abilità integrando, se ritenuto necessario, con materiali ad hoc. L'ordine proposto rispecchia quello che lo studente troverà poi nel quaderno d'esame ufficiale:

- ascolto
- comprensione della lettura
- analisi delle strutture della comunicazione
- produzione scritta
- produzione orale

• prove d'esame complete di approfondimenti e soluzioni. La risposta corretta è seguita dalla spiegazione e dall'eventuale approfondimento grammaticale o lessicale che lo rendono utilizzabile in autoapprendimento.

Quaderni d'esame

In questa sezione lo studente può familiarizzare, ed esercitarsi, con la struttura d'esame attraverso **tre quaderni d'esame** completi. La scelta di inserire i quaderni d'esame completi dopo la presentazione generale dell'esame e della scoperta guidata alle prove rispecchia il graduale avanzamento che caratterizzano questo volume.

Esercitazione

A conclusione, e a completamento, di questo percorso guidato sono stati ideati **esercizi di rinforzo grammaticale** pensati e creati per esercitare, ripassare e fissare in particolar modo gli elementi grammaticali presenti nella prova d'esame *Analisi delle strutture di comunicazione*. In questa sottosezione ci sono diverse tipologie di esercizi che comprendono:

• articoli;
• preposizioni;
• verbi (indicativo, condizionale, imperativo, infinito);
• comparativi;
• completamento logico-grammaticale.

A completamento del volume sono presenti:

• le soluzioni dei tre quaderni d'esame completi e degli esercizi per il rinforzo grammaticale;
• le trascrizioni delle prove d'ascolto;
• un utile glossario in 3 lingue: italiano, inglese e spagnolo;
• uno spazio online dove è possibile scaricare le tracce audio.

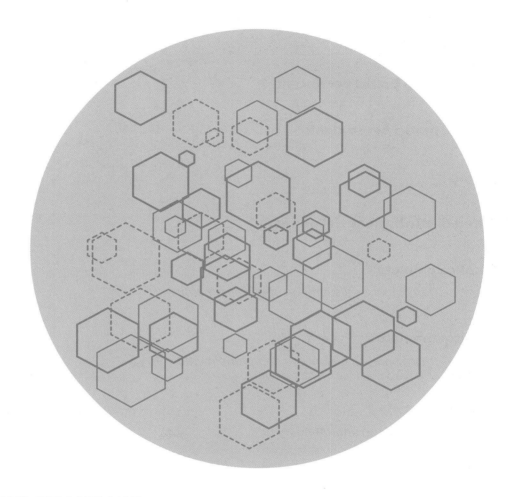

Il primo volume della collana Percorso CILS è rivolto agli studenti che vogliono sostenere l'esame di certificazione di lingua italiana CILS livello B1 del QCER (Quadro Comune Europeo di Riferimento).

Percorso CILS UNO-B1 presenta caratteristiche uniche, tra cui:

- una presentazione generale dell'esame;
- un curricolo in cui sono presenti tutti gli argomenti previsti per il livello scelto;
- diversi consigli utili alla preparazione ed al superamento delle prove d'esame, per studenti e per docenti;
- prove d'esame suddivise per abilità con soluzioni ed approfondimenti;
- quaderni d'esame completi con soluzioni;
- esercizi grammaticali e lessicali per approfondimento e rinforzo.

Percorso CILS UNO-B1 è un manuale pensato e realizzato per essere usato sia in autonomia che in classe. Offre una panoramica completa dell'esame e consente di conoscerne la struttura e le strategie di svolgimento.

Un Ente Certificatore si costituisce garante nei confronti degli individui e della società del raggiungimento di un determinato livello di competenza linguistico-comunicativa, attraverso prassi, pratiche e metodologie formalizzate, testate e istituzionalizzate. Uno dei principi da cui partire è sicuramente il fondamento etico. La Certificazione, come tutte le valutazioni istituzionalizzate, è infatti uno strumento di utilità sociale ed individuale che non può fare a meno dell'equità nella valutazione dei candidati.

La Certificazione assume un significato sociale notevole perché influisce sul percorso dei candidati a prescindere dal profilo che questi rappresentano.

Per questi motivi CILS ha sottoscritto il Codice di Buone Pratiche dell'EALTA, impegnandosi a rispettare e difendere i principi in esso contenuti.

Uno di principi etici più importanti nella certificazione CILS è la garanzia dell'**affidabilità** e dell'**omogeneità** della valutazione per tutti i candidati.

La Certificazione di Italiano come Lingua Straniera (CILS), realizzata dall'Università per Stranieri di Siena, è il titolo ufficiale che attribuisce il grado di competenza linguistico-comunicativa in italiano come lingua straniera.

Le prove della CILS sono pensate per proporre la lingua italiana in tutti i suoi aspetti, tenendo in considerazione la dinamicità della lingua all'interno del contesto sociale; infatti la Certificazione misura le competenze linguistiche e comunicative in sviluppo ed è suddivisa in sei livelli:

Livello A1

Livello A2

Livello UNO-B1

Livello DUE-B2

Livello TRE-C1

Livello QUATTRO-C2

	QUADRO COMUNE EUROPEO DI RIFERIMENTO	LIVELLI CILS
PROFICIENT USER	C2	CILS QUATTRO-C2
	C1	CILS TRE-C1
INDIPENDENT USER	B2	CILS DUE-B2
	B1	CILS UNO-B1
BASIC USER	A2	CILS A2
	A1	CILS A1

Ogni livello CILS è autonomo e completo: la certificazione di ogni livello descrive un grado di capacità comunicativa adeguato a specifici contesti sociali, professionali e di studio.

STRUTTURA DEL LIBRO

Questo libro è composto da una parte introduttiva in cui docenti e candidati possono trovare informazioni utili relativamente al livello di capacità comunicativa, agli elementi che lo costituiscono e consigli utili allo svolgimento delle prove d'esame.

Successivamente sono presenti **le prove divise per abilità** con soluzioni, spiegazioni e approfondimenti utili per comprendere meglio le risposte.

In particolare, il libro è composto da 2 prove per ogni abilità: **Ascolto, Lettura, Analisi delle strutture di comunicazione, Produzione scritta e Produzione orale**.

Inoltre, il libro presenta diverse prove d'esame **complete** con soluzioni ed esercizi grammaticali di **rinforzo,** utili in fase di preparazione.

L'esame di livello B1 è così costituito:

Prove scritte

• TEST DI ASCOLTO	3 prove	30 minuti
• TEST DI COMPRENSIONE DELLA LETTURA	3 prove	50 minuti
• TEST DI ANALISI DELLE STRUTTURE DELLA COMUNICAZIONE	4 prove	1 ora
• PRODUZIONE SCRITTA	2 prove	1 ora e 10 minuti

Prova orale

• PRODUZIONE ORALE	2 prove	10 minuti

• **TEST DI ASCOLTO**	3 prove

Il candidato all'esame di livello B1 deve essere in grado di comprendere il senso globale e le principali informazioni presenti in testi parlati di contenuto quotidiano e generale.

Le tre prove sono state registrate in uno studio da due (o più) parlanti nativi e rappresentano la varietà dell'italiano STANDARD a una velocità media e controllata.

La prova nel suo complesso dura **30 minuti**, i testi sono fatti ascoltare due volte, nella registrazione sono compresi i tempi per lo svolgimento delle prove e per la trascrizione delle risposte nei **fogli delle risposte**.

ESEMPIO PARZIALE DELLA PROVA N.1

Ascolta i testi. Poi completa le frasi. Scegli una delle quattro proposte di completamento. Alla fine del test di ascolto, DEVI SCRIVERE LE RISPOSTE NEL "FOGLIO DELLE RISPOSTE".

1. Francesco chiede a Claudia

   A) gli appunti del corso di storia.

   B) di restituirgli il libro di storia.

   C) di prestargli i soldi per il libro di storia.

   D) il titolo del libro di storia per le vacanze.

Il candidato dovrà scegliere una sola fra le quattro risposte. Le frasi da completare sono **7**. Generalmente la **Prova di ascolto n. 1** affronta temi della quotidianità, dialoghi di argomento quotidiano, legati alla sfera personale, al dominio educativo e pubblico.

ESEMPIO PARZIALE DELLA PROVA N. 2

Ascolta il testo. Poi completa le frasi. Scegli una delle quattro proposte di completamento. Alla fine del test di ascolto, DEVI SCRIVERE LE RISPOSTE NEL "FOGLIO DELLE RISPOSTE".

1. Il giornalista Andrea Papa vuole pubblicizzare

A) il nuovo libro del calciatore Alessandro Del Piero.

B) l'iniziativa di beneficenza del calciatore Alessandro Del Piero.

C) una serie di manifestazioni sportive per bambini

D) la nuova Scuola Calcio di Alessandro Del Piero

Il candidato dovrà scegliere una sola fra le quattro risposte. Le frasi da completare sono **7**. Generalmente la **Prova di ascolto n. 2** è un'intervista radiofonica che affronta un tema in particolare, articolando più voci.

ESEMPIO PROVA n. 3

Ascolta il testo: è una trasmissione radiofonica. Poi leggi le informazioni. Scegli le 6 informazioni (da A a M) presenti nel testo. Alla fine del test di ascolto, DEVI SCRIVERE LE RISPOSTE NEL "FOGLIO DELLE RISPOSTE".

A. Il programma radiofonico "Il sole ed il mare di Napoli" è un appuntamento quotidiano.

B. La puntata di "Il sole ed il mare di Napoli" è ambientato a Milano.

C. A Napoli esiste un'associazione che promuove le gite turistiche in barca.

D. I cittadini di Napoli sono ospitali.

E. Il mare di Napoli è considerato una perla in Italia.

F. I pescatori del Golfo di Napoli spesso portano i turisti a visitare le parti più belle dell'isola.

G. La conduttrice del programma radiofonico è innamorata di Napoli.

H. A Napoli potete mangiare il pesce direttamente sulle barche appena viene pescato.

I. Il programma radiofonico "Il sole ed il mare di Napoli" finirà a maggio.

J. Il programma radiofonico "Il sole ed il mare di Napoli" è iniziato a maggio.

K. Il programma radiofonico "Il sole ed il mare di Napoli" è un appuntamento settimanale.

L. Napoli esiste un'associazione che promuove i villaggi turistici della costa.

M. È possibile riascoltare ogni puntata sul web.

• TEST DI COMPRENSIONE DELLA LETTURA	3 prove

Il candidato deve saper comprendere il senso globale e le principali informazioni presenti in testi scritti di argomento quotidiano e generale.
I tre testi sono riproduzioni di lettere, brani di narrativa, articoli informativo-divulgativi, testi di istruzioni, regolamenti e interviste. I tre testi sono adattamenti funzionali al livello B1.

ESEMPIO PARZIALE PROVA N. 1

Leggi il testo

Intervista al cantante Vasco Rossi

Il cantante Vasco Rossi sta per iniziare un Tour per l'Italia per promuovere il suo ultimo disco dal titolo "Sono ancora qui"…

Vasco, perché hai deciso di intitolare il tuo ultimo disco "Sono ancora qui"?

Perché alla mia età voglio essere scaramantico ed avevo ancora canzoni da scrivere e da cantare…

Chi ti ha aiutato in questi anni?

Indubbiamente la mia compagna di sempre…

[…]

Completa le seguenti frasi. Scegli una delle quattro proposte di completamento che ti diamo per ogni frase. DEVI SCRIVERE LE RISPOSTE NEL "FOGLIO DELLE RISPOSTE".

1. Il cantante Vasco Rossi sta per promuovere

    A) un nuovo disco.

    B) un libro sulla sua carriera.

    C) un libro di canzoni.

    D) un concerto di beneficenza.

Il candidato dovrà scegliere una sola fra le quattro risposte. Le frasi da completare sono **7**. Generalmente la **Comprensione della lettura Prova n. 1** è una scelta multipla.

ESEMPIO PARZIALE PROVA N. 2

Leggi il testo

"TORINO FILM FESTIVAL 2017, CONCORSO PER I REGISTI GIOVANI ED EMERGENTI"

Torna a novembre, come tutti gli anni, il Torino Film Festival, la rassegna che mette al centro i giovani. Durante il Festival verranno proiettate le opere prime di registi emergenti e verranno dedicati ampi spazi a maestri del cinema…

[…]

Leggi le seguenti informazioni. Scegli le 7 informazioni (da A a O) presenti nel testo. DEVI SCRIVERE LE RISPOSTE NEL "FOGLIO DELLE RISPOSTE".

A. Il Torino Film Festival inizierà a dicembre.

B. Il Torino Film Festival si svolgerà a novembre per la prima volta.

C. Possono partecipare solo giovani registi.

D. Il Festival si svolgerà a Torino.

E. Torino ospiterà grandi registi.

F. Il Torino Film Festival finirà a gennaio.

G. Il cinema a Torino è principalmente composto da registi giovani.

H. A Torino vengono girati moltissimi film.

I. Il Torino Film Festival si svolgerà a novembre.

J. Il Torino Film Festival si svolgerà a gennaio per la seconda volta.

K. Torino ospiterà registi emergenti.

L. Il Festival si svolgerà ad Alba.

M. Il Torino Film Festival si svolgerà a novembre per la prima volta.

N. Torino ospiterà registi americani.

O. Il Torino Film Festival si svolgerà a novembre per la prima volta.

ESEMPIO PROVA N.3

Leggi il testo. Il testo è diviso in 11 parti. Le parti non sono in ordine. Ricostruisci il testo. Scrivi il numero d'ordine accanto a ciascuna parte. **DEVI SCRIVERE LE RISPOSTE NEL "FOGLIO DELLE RISPOSTE".**

1	A.	**Francesco è un ragazzo di 21 anni che ha pubblicato il suo primo libro per bambini 4 anni fa.**
☐	B.	A 11 anni ha cominciato a raccontare favole.
☐	C.	Il nonno quando era molto piccolo gli raccontava moltissime favole.
☐	D.	I genitori si sono accorti subito che amava molto sfogliare i libri.
☐	E.	Ora vorrebbe fare il grande passo e scrivere un romanzo più maturo.
☐	F.	A 3 anni ha ricevuto il suo primo libro.
☐	G.	A 10 anni aveva già scritto un piccolo libro di racconti.
☐	H.	Le maestre si sono accorte da subito della sua innata abilità nel raccontare storie.
☐	I.	A 5 anni sapeva già leggere in modo autonomo.
☐	J.	Il suo primo libro parlava di dinosauri.
☐	K.	A 6 anni ha cominciato a disegnare facce.

• ANALISI DELLE STRUTTURE DI COMUNICAZIONE	4 prove

Il candidato deve dimostrare di saper compiere operazioni di trasformazione delle strutture linguistiche sul piano lessicale e morfosintattico.

La prova ha la durata di **1 ora** ed è costituita da 4 prove di diverso tipo.

La **prima prova** mira a verificare la conoscenza di **articoli** e **preposizioni** semplici e articolate in un testo.

La **seconda prova** mira a verificare la conoscenza dei **tempi verbali** in un testo.

La **terza prova** mira a testare la conoscenza del **lessico** in un testo.

La **quarta prova** mira a testare la conoscenza di **espressioni** in particolari situazioni di **comunicazione**.

ESEMPIO PARZIALE DELLA PROVA N.1

Completa il testo con gli articoli e le preposizioni semplice e articolate: utilizza le preposizioni fra parentesi.
DEVI SCRIVERE LE RISPOSTE NEL 'FOGLIO DELLE RISPOSTE'.

Le bandiere blu __in__ Italia
(0)

Com'è possibile individuare le migliori spiagge italiane?

Facile, basta cercare le bandiere blu!

(In) ———— 2017 hanno ottenuto questa bandiera più di 340 spiagge. Le regioni con ———— numero
(1)   (2)
più alto di spiagge premiate sono state la Liguria, con 27 località, e la Toscana, con 19. Questo riconoscimento lo possono ottenere anche località che non si affacciano sul mare, infatti anche il Trentino Alto
Aldige, il Piemonte e la Lombardia lo hanno ottenuto per ———— loro laghi.
(3)
[...]

ESEMPIO PARZIALE DELLA PROVA N. 2

Completa il testo con le forme dei verbi che sono tra parentesi. DEVI SCRIVERE LE RISPOSTE NEL 'FOGLIO DELLE RISPOSTE'.

Un freddo siberiano

Ieri mattina, quando 0. **(svegliarsi)** —— mi sono svegliata —— , ho sentito la tv accesa e le previsioni meteo
che avvisavano dell'arrivo di un'ondata di gelo proveniente dalla Siberia. 1. **(Alzarsi)** ————————
e 2. **(andare)** ———————— in soggiorno dove mio marito 3. **(fare)** ———————— colazione
con un buon caffè, pane e marmellata. Io, in piedi e assonnata, ho guardato fuori dalla finestra e 4. **(pensare)** ———————— : "5. **(essere)** ———————— una giornata molto lunga".
[...]

ESEMPIO PARZIALE DELLA PROVA N.3

Completa il testo. Scegli una delle proposte di completamento. DEVI SCRIVERE LE RISPOSTE NEL 'FOGLIO DELLE RISPOSTE'.

La giornata₀ mondiale del libro

Il 23 aprile è la giornata mondiale del libro che festeggia l'importanza della lettura e il suo eterno ————
(1)
Durante questa giornata i ———— assoluti della cultura organizzano ————, spettacoli ed eventi per
(2)   (3)
mettere in contatto gli autori e gli editori con i lettori.

Questa ricorrenza è nata nel 1996 per ———— dell'UNESCO con l'obiettivo di promuovere il progresso
(4)
culturale , mantenere vivo l'interesse per la lettura e ———— i più piccoli a questo mondo.
(5)
[...]

0.	a) giornata	b) festività	c) settimana	d)ricorrenza
1.	a) merito	b) risultato	c) successo	d) esito
2.	a) personaggi	b) protagonisti	c) signori	d) professori
3.	a) colloqui	b) riunioni	c) discorsi	d) conferenze
4.	a) volontà	b) lavoro	c) colpa	d) domanda
5.	a) chiamare	b) domandare	c) avvicinare	d) vedere

ESEMPIO PARZIALE DELLA PROVA N.4

Scegli per ogni espressione una delle quattro situazioni di comunicazione. DEVI SCRIVERE LE RISPOSTE NEL 'FOGLIO DELLE RISPOSTE'.

1. **Il volo AZ1430 con destinazione Roma Fiumicino partirà con un ritardo di 60 minuti, ci scusiamo per il disagio**

   A. Sull'aereo l'assistente di volo si scusa del ritardo.

   B. Telefoni ad un tuo amico e gli comunichi che il tuo aereo partirà con un ritardo di 60 minuti.

   C. In aeroporto un annuncio avvisa del ritardo di un volo.

   D. In aeroporto un passeggero si lamenta del ritardo del volo.

2. **Buongiorno, vorrei una cioccolata calda con panna, grazie!**

   A. Al bar ordini una cioccolata.

   B. In un negozio di dolci compri del cioccolato.

   C. Dici ad una tua amica di ordinarti una cioccolata calda.

   D. A casa chiedi a tua mamma di prepararti una cioccolata calda.

[…]

• **PRODUZIONE SCRITTA**	2 prove
Il candidato deve essere in grado di produrre testi scritti con **strutture semplici**, ma che trasmettano le informazioni in modo **chiaro** ed **efficace** dal punto di vista **comunicativo** su argomenti noti o di suo interesse.	

ESEMPIO PROVA N.1

Descrivi una persona della tua famiglia. Devi scrivere da 100 a 120 parole. DEVI SCRIVERE IL TESTO NEL 'FOGLIO DELLA PRODUZIONE SCRITTA-PROVA N.1.

ESEMPIO PROVA N. 2

Scrivi una e-mail ad un tuo amico italiano per invitarlo a visitare la tua città. Devi scrivere da 80 a 100 parole. DEVI SCRIVERE IL TESTO NEL 'FOGLIO DELLA PRODUZIONE SCRITTA-PROVA N.2.

• PRODUZIONE ORALE	2 prove

Il candidato deve saper esprimere in maniera chiara il proprio pensiero, utilizzando le strutture **fondamentali** della lingua italiana per comunicare con efficacia i messaggi orali. Il candidato deve saper usare l'italiano parlato in modo appropriato alle situazioni di comunicazione quotidiana e deve essere in grado di adattarsi agli elementi di novità o alle interferenze dell'interlocutore.

Le prove sono 2 (10 minuti in totale)

• **Dialogo con l'esaminatore** (2/3 minuti)
• **Monologo** (2 minuti circa)

ESEMPIO PROVA N.1 (Conversazione con l'esaminatore)	ESEMPIO PROVA N.2 (Monologo)
• Vacanze estive ed invernali • Aspetti positivi e negativi della vita in città • Un libro letto • Il regalo ricevuto più bello • Cibo italiano e cibo del tuo Paese	• Il programma televisivo preferito • Una persona importante per te • Una città che hai visitato • Descrizione di un'immagine

La sezione di questo manuale è destinata agli insegnanti di italiano L2/LS che sono chiamati a preparare i propri studenti all'esame di certificazione di conoscenza della lingua italiana CILS, livello B1. Questi esami di certificazione attestano la competenza linguistico-comunicativa e l'uso della lingua, per questa ragione i diversi test sono pensati e strutturati per testare il livello di un apprendente della lingua italiana in tutti i suoi aspetti.

La preparazione all'esame può essere svolta al di fuori del contesto classe, in cui avviene il normale iter di acquisizione, o all'interno dello stesso. Gli aspetti su cui è necessario soffermarsi sono quelli che, normalmente, un insegnante non prenderebbe in considerazione nella stesura del sillabo e del curriculo iniziale in quanto non necessari e non previsti in corsi di lingua generici.

Si deve partire dall'analisi del livello di competenza linguistica per il quale lo studente decide di intraprendere la preparazione. Gli esami CILS fanno riferimento al Quadro Comune Europeo e ai relativi descrittori, utili a definire ciò che un individuo deve imparare per agire efficacemente con la lingua[1], per ogni livello di competenza linguistica. Una volta individuato il livello di competenza linguistico-comunicativa presunto dello studente è possibile iniziare ad orientarlo verso la preparazione dell'esame.

Si ritiene utile descrivere in modo dettagliato la struttura dell'esame, ovvero: il numero delle prove, i tempi previsti per ciascuna prova, la lettura delle consegne e la spiegazione del foglio delle risposte. La spiegazione degli aspetti più pratici dell'esame consentirà al candidato, una volta ricevuto il materiale in sede d'esame, di poter cominciare a svolgere le prove senza perdere tempo nella comprensione delle consegne e della struttura, cosa che lo porterebbe ad un notevole rallentamento e all'insorgere di uno stato di ansia.

Le abilità dell'esame sono cinque:

1. *comprensione dell'ascolto;*
2. *comprensione della lettura;*
3. *analisi delle strutture di comunicazione;*
4. *produzione scritta;*
5. *produzione orale.*

Molto spesso gli studenti, soprattutto sinofoni, sono portati a pensare che il solo studio mnemonico grammaticale sia sufficiente per superare l'esame, questo è completamente sbagliato. Ogni test verifica e certifica una particolare abilità linguistica e la relativa competenza d'uso per questo motivo in fase di preparazione ogni abilità avrà lo stesso peso e la stessa attenzione nelle esercitazioni.

Qui di seguito si riportano alcuni consigli che si pensa possano essere utili in fase di preparazione.

1. Comprensione dell'ascolto.

Le prove di ascolto sono tre:

- la prima prevede un completamento con scelta multipla di sette brevi tracce audio che possono essere mini dialoghi, annunci, pubblicità radiofoniche;
- la seconda prevede un completamento con scelta multipla di un'unica traccia audio della durata di un paio di minuti, il testo audio può essere un dialogo, un'intervista, un programma radiofonico;
- la terza prevede l'individuazione di informazioni presenti nel testo audio ascoltato, molto spesso un testo espositivo o informativo.

---

[1]QUADRO COMUNE EUROPEO DI RIFERIMENTO PER LE LINGUE: apprendimento, insegnamento e valutazione. LA NUOVA ITALIA OXFORD, 2002.

La comprensione dell'ascolto è il test che crea maggiori difficoltà spesso per la mancanza di esercizio, ma anche per la velocità dell'eloquio. Spesso sono abituati al tono dell'insegnante che adatta la velocità del proprio eloquio alle necessità di comprensione degli studenti, ripetendo tutte le volte che lo ritiene necessario. Nel test dell'ascolto la riproduzione avviene automaticamente e anche le pause sono dettate dal cd audio. In fase di preparazione dobbiamo abituare i candidati a rispettare i tempi, ad ascoltare diverse tipologie di testo con diversi toni e velocità.

Le tecniche didattiche più appropriate sono quelle per lo sviluppo delle attività di comprensione. Può essere utile usare domande aperte, anche se non previste in sede di test, per testare la comprensione globale ed analitica del testo.

2. Test di comprensione della lettura.

I testi proposti sono di diversa tipologia e di una lunghezza che varia dalle duecento alle quattrocento parole circa. Il lessico è quello previsto dal livello di competenza linguistica anche se a volte sono presenti termini che possono risultare sconosciuti ad un livello B1. Nella preparazione a questo test è necessario guidare gli studenti in modo che imparino a:

- leggere in modo critico i testi;
- individuare le parole chiave utili alla comprensione globale usando sottolineature o altri segni grafici;
- scorrere la prova dall'inizio alla fine per cercare il completamento alle frasi date;
- regolare il tempo da dedicare ad ognuna delle tre prove di comprensione della lettura per evitare di non riuscire a concluderle per mancanza di tempo.

Per fare questo ci sono alcune tecniche didattiche più appropriate di altre. Per lo sviluppo dell'abilità di comprensione scritta, si consigliano le tecniche tradizionali per verificare la comprensione dopo aver letto il testo, tra queste ci sono: la domanda aperta, che in fase di esercitazione si può proporre in forma scritta o orale, la griglia o tabella, in cui non è richiesta, come in questa sezione d'esame, la produzione scritta ed infine la scelta multipla. Un'attenzione in più merita la terza prova in cui è richiesto il riordino di un testo. In questa prova, oltre ad usare le tecniche elencate, sono necessari esercizi sui connettivi inerenti sia alla collocazione nella frase che ai loro significati. In alcuni casi possono essere utili tecniche di seriazione e sequenziazione che, chiedendo il riordino di un insieme caotico in base ad un parametro, possono aiutare ad individuare un ordine cronologico o di intensità.

3. Test di analisi delle strutture di comunicazione.

Questa è la sezione in cui maggiormente si analizza la competenza linguistica grammaticale e in cui è maggiormente utile la riflessione metalinguistica. Le prove sono quattro e prevedono:

- differenze d'uso articoli determinativi e indeterminativi;
- differenze d'uso preposizioni semplici e articolate;
- uso dei tempi verbali del modo indicativo, condizionale, congiuntivo, imperativo e infinito (presente);
- scelta lessico appropriato;
- individuazione situazioni comunicative.

In fase di preparazione, per le prove uno e due, si possono guidare i candidati verso una riflessione sulla grammatica con tecniche di fissazione delle regole, con attività di natura comportamentistica, anche se ripetitive, con giochi magari più motivanti, con tecniche di reimpiego o di riflessione grammaticale esplicita laddove necessaria a colmare lacune.

4. Test di produzione scritta.

Le prove previste sono due:

- la prima prevede la produzione di un testo molto spesso descrittivo o espositivo di 100-120 parole;
- la seconda prevede la produzione di una email (o lettera), formale o informale, di 50-80 parole.

La preparazione al test di produzione scritta non può essere fatta solamente in aula. Il tempo che lo studente impiegherebbe per scrivere risulterebbe tempo perso per un confronto con il docente. Per questo motivo è consigliato lasciare come compito a casa la produzione scritta che verrà successivamente consegnata al docente che si occuperà di correggere l'elaborato e segnalare gli errori morfologici, morfosintattici, sintattici, lessicali e ortografici.

Il punteggio assegnato considera:

- efficacia comunicativa;
- correttezza morfosintattica;
- adeguatezza e ricchezza lessicale;
- ortografia e punteggiatura;
- adeguatezza stilistica alla tipologia testuale (solo nella seconda prova in cui è richiesto al candidato la produzione di un testo formale o informale).

La correzione è a discrezione del docente che sarebbe meglio si astenesse dal fornire punteggi o valutazioni come quelli dell'esame in quanto l'unico centro valutatore è il centro CILS di Siena. Il docente può segnalare e correggere gli errori e orientare il candidato verso produzioni scritte migliori e prive di errori ma senza l'assegnazione, che potrebbe essere causa di una futura contestazione, di un voto anche se molto spesso richiesto dagli studenti.

5. Test di produzione orale.

Il test di produzione orale deve essere spiegato in sede di preparazione, anche se poi il somministratore ripeterà brevemente prima dell'inizio della registrazione, così che il candidato capisca la differenza da altri esami di certificazione che, eventualmente, potrebbe conoscere o aver sostenuto in precedenza.

Questo test prevede due produzioni orali:

- **un dialogo faccia a faccia svolto con il somministratore**. Qui il candidato è invitato a parlare naturalmente seguendo una traccia precedentemente scelta. Possono emergere opinioni, esperienze personali, progetti futuri o quanto il candidato desideri comunicare a patto però che non vada fuori tema. Il compito del somministratore, e del docente in fase di preparazione, è quello di assecondare il candidato e di sollecitarlo con domande che non lo mettano in ficoltà.

  Le tecniche didattiche più appropriate per sviluppare la capacità di interazione orale, prevista per questa prova, sono quelle di simulazione: role-taking, role-making e rolepaly. I roleplay possono essere proposti anche tra studenti con il docente che assume il ruolo di facilitatore nello scambio comunicativo e poi, nella fase finale della preparazione, sicuramente con il docente stesso;

- **un monologo**. Qui il candidato deve scegliere se esporre un argomento, tra i due proposti, o se descrivere una fotografia. Nel caso in cui decidesse di descrivere una fotografia si deve spiegare che questa può essere usata anche solo come input, come spunto, da cui partire per poi collegare altri elementi benché siano attinenti al tema ritratto nella foto. Altrimenti il candidato può scegliere di raccontare un episodio, descrivere un'esperienza o esprimere un' opinione con gli strumenti linguistici di cui un livello B1 deve essere in possesso. Il tema del monologo deve essere precedentemente assegnato, in modo che il problema del "che cosa" dire non interferisca sull'attenzione sul "come dire" e cioè sull'aspetto linguistico.

In fase di preparazione molto spesso il monologo in classe crea problemi perché solo in gruppi poco numerosi è possibile mantenere costante la motivazione e l'attenzione di tutti gli studenti. Un' attività che risulta interessante è quella di chiedere agli studenti di ascoltare a turno i compagni, eventualmente di prendere appunti, in modo da rispondere alle domande che successivamente il docente farà per assicurarsi che abbiano ascoltato e ancor più compreso. Per aiutare in modo più proficuo gli studenti nella produzione orale è utile assegnare come compito la registrazione di un audio, da ascoltare in classe e su cui poter lavorare in modo più dettagliato.

Questo manuale di preparazione all'esame di certificazione CILS, livello B1, è pensato per tutti gli apprendenti della lingua italiana, autodidatti e non, che vogliono sostenere l'esame e certificare la loro competenza linguistica.

L'esame è composto da cinque parti ugualmente importanti in cui si testano tutte le abilità linguistiche: comprensione e produzione orale, comprensione e produzione scritta, interazione orale. Per questo motivo la preparazione deve includere diverse tipologie di attività che consentano allo studente di familiarizzare con la struttura dell'esame. La conoscenza della struttura, dei tempi e delle consegne di ciascuna prova è uno dei presupposti necessari per il superamento dell'esame.

Si elencano, di seguito, i consigli pratici che si ritengono utili per lo svolgimento delle prove.

1. Test di ascolto.

La prova di ascolto si svolge in aula con la presenza dell'esaminatore che ha l'unico compito di garantire la corretta riproduzione delle tre tracce audio. L'ascolto non può essere interrotto e quindi lo studente deve essere capace di ascoltare e rispettare i tempi previsti tra l'ascolto di una traccia e la successiva. È bene chiarire che l'ascolto di ogni traccia avviene due volte con due minuti di pausa tra il primo e il secondo ascolto per la lettura della prova.

Prova uno (sette brevi ascolti indipendenti l'uno dall'altro) e due (un unico ascolto). Ascolta i testi. Poi completa le frasi.

Cosa deve fare lo studente durante il primo ascolto della prova?

È meglio concentrarsi solo sull'ascolto della traccia senza leggere le domande previste dalla prova per evitare confusione tra ciò che viene ascoltato e ciò che viene letto. È sbagliato pensare di trovare parole identiche tra quelle ascoltate e quelle lette.

Cosa fare durante la pausa della durata di due minuti tra il primo e il secondo ascolto?

Nella pausa il candidato non ha il tempo necessario per leggere interamente la prova, per questo motivo sarebbe meglio leggere solo la frase da completare, data in grassetto, in modo che durante il secondo ascolto ci si possa concentrare sulle informazioni da individuare.

Esempio:

1. La signora Anna va dalla dottoressa perché
   a. deve fare una visita di controllo.
   b. vuole comprare delle pastiglie per il mal di testa.
   c. è caduta e ha male alla testa e al collo.
   d. ha preso freddo e ha un forte mal di testa e male al collo.

Durante il secondo ascolto il candidato svolge la prova e individua, quindi, le risposte corrette. Al termine del secondo ascolto il candidato ha 2 minuti per riflettere e controllare le risposte scelte.

In questi due minuti non è necessario riportare le risposte sul *foglio delle risposte* perché al termine delle tre prove è previsto un tempo di circa tre minuti in cui il candidato può scrivere le risposte nell'apposita sezione del *foglio delle risposte*.

Prova tre.

Ascolta il testo. Poi leggi le informazioni. Scegli le 6 informazioni (da A a M) presenti nel testo.

La terza prova di ascolto non prevede il completamento di una frase data con una scelta multipla, bensì prevede che il candidato individui le informazioni presenti nel testo ascoltato tra tredici frasi proposte. Lo svolgimento degli ascolti avviene nello stesso modo con cui si sono svolte la prima e la seconda prova.

2. Test di comprensione della lettura.

La comprensione della lettura è la prova in cui il candidato deve dimostrare di comprendere il significato di testi scritti di diverse tipologie, previste per il livello scelto, e di svolgere il compito richiesto. La durata è di 50 minuti in cui il candidato deve svolgere le tre prove lasciando a ciascuna il tempo necessario. Durante questa prova, come per tutte le altre, non è consentito l'uso di dizionari e traduttori. È probabile che durante la lettura ci siano parole mai lette o sentite, questo non è obbligatoriamente un problema. La lettura deve essere mirata all'individuazione delle informazioni più importanti, che potranno comprendere: l'argomento, il tema centrale, i protagonisti, il tempo e il luogo, le opinioni dei diversi personaggi ed eventualmente la conclusione a cui arriva l'autore del testo.

Prova uno. Completa le frasi. Scegli una delle quattro proposte di completamento.

La prima prova della comprensione della lettura prevede la comprensione di un unico testo. Questo testo può essere di natura diversa secondo le linee guida previste dal QCER per il livello scelto, tra questi troviamo frequentemente: testi espositivi, il cui scopo è quello di esporre un fatto, un accaduto, testi informativi, il cui scopo è quello di informare il lettore, articoli di giornale, adattati alla prova d'esame ed infine interviste, in cui lo scambio di battute è tra giornalista ed intervistato.

Indipendentemente dalla tipologia di testo il candidato deve leggere una prima volta interamente il testo in modo da capire quale sia l'argomento centrale. Dopo questa prima lettura si consiglia di leggere le frasi da completare e le relative scelte.

Le informazioni da individuare sono in ordine all'interno del testo, quindi il candidato deve proseguire ordinatamente, dalla prima alla settima, nello svolgimento della prova.

Di solito si rivela molto utile sottolineare l'informazione individuata nel testo. In questo modo, in fase di controllo, sarà più semplice controllare la scelta effettuata.

Esempio:

2. **Secondo il sindaco di Asti il Festival**

   a. è importante solo per il settore del turismo.

   b. determina effetti positivi su tutta l'economia della città.

   c. ha pochi partecipanti.

   d. non è più frequentato come gli anni scorsi.

Il sindaco di Asti è molto contento del numero elevato di turisti e ha dichiarato: "Investire in questo Festival è importante per tutta l'economia della città di Asti, non solo per il turismo".

Prova due. Leggi le informazioni. Scegli le sette informazioni presenti nel testo.

La differenza con la prima prova consiste nella modalità di svolgimento e non riguarda la tipologia del testo. In questa seconda prova il candidato deve individuare le informazioni presenti nel testo in un elenco di 13 frasi.

Anche in questa prova, come nella prima, è utile sottolineare nel testo l'informazione che si ritiene sia presente per essere sicuri che le informazioni presenti coincidano completamente e non solo parzialmente.

Esempio:

    A. Il Master è obbligatorio per gli insegnanti delle scuole italiane. *(informazione errata in quanto nel testo non è presente l'informazione "il corso è obbligatorio").*

   ▶ B. Il Master è uno strumento di aggiornamento per gli insegnanti delle scuole primarie e secondarie. *(informazione completa presente nel testo).*

L'obiettivo del Master in Didattica dell'italiano L2 e LS è quello di <u>rispondere al crescente bisogno di formazione, aggiornamento e riqualificazione professionale degli insegnanti della scuola primaria e secondaria</u>, e quello di formare la nuova figura professionale del docente di italiano per stranieri.

Prova tre. Leggi il testo, il testo è diviso in undici parti. Ricostruisci il testo.

La terza prova, diversamente dalle prime due, prevede il riordino di un testo. Questo testo ha una sequenzialità logica scandita dall'ordine degli eventi o delle informazioni. Il candidato per riuscire a ricostruire correttamente il testo deve individuare alcuni elementi necessari, tra cui: date, momenti della giornata (mattina, pomeriggio, sera), connettivi temporali (prima, mentre, dopo, innanzitutto, infine…). Oltre all'individuazione di questi elementi, sia in testi espositivi che narrativi, è utile seguire la logica degli eventi e trovare quelle parole che collegano una frase alla successiva. Infine non bisogna dimenticare di leggere il titolo che potrebbe contenere informazioni in merito al testo.

Il testo è diviso in undici parti, la numero uno è indicata.

Esempio:

> **Il giorno della carbonara e i suoi ingredienti.**

Nel titolo sono presenti due informazioni essenziali che rappresentano il tema centrale del testo: gli ingredienti per la preparazione della pasta carbonara e la giornata dedicata a questo piatto.

1. E. In molti paesi si festeggia "il giorno della carbonara" che rappresenta un successo mondiale tutto italiano. **Ma quali sono gli ingredienti?**

2. B. I **cinque ingredienti** fondamentali sono: il pecorino, il sale, il pepe nero, le uova e il guanciale di maiale. Ma secondo i più prestigiosi esperti c'è un altro ingrediente fondamentale.

3. J. Infatti, per ottenere una carbonara perfetta, il **sesto ingrediente è la qualità** dei prodotti.

3. Test di analisi delle strutture di comunicazione.

Questa sezione comprende quattro prove da svolgere in un'ora. Queste quattro prove sono diverse tra loro e il loro obiettivo è quello di verificare la competenza linguistica e grammaticale.

Prova uno. Completa il testo con gli articoli determinativi e indeterminativi e le preposizioni, dove richiesto.

La prova uno prevede l'inserimento degli articoli determinativi e indeterminativi e delle preposizioni, semplici o articolate, quando presenti tra parentesi.

Il candidato che vuole prepararsi per questa prova deve concentrarsi:
- sulla differenza di uso degli articoli determinativi e indeterminativi;
- sul genere e numero del nome che seguono l'articolo richiesto, in modo da concordarlo correttamente;
- sulla differenza di uso delle preposizioni semplici e articolate.

Esempio:

(In) $_1$_____ 2017 hanno ottenuto questa bandiera più di 340 spiagge. Le regioni con$_2$ _____numero più alto di spiagge premiate sono state la Liguria, con 27 località, e la Toscana, con 19.

Nello spazio n.1 è necessario inserire la preposizione (indicata tra parentesi) semplice o articolata. Nello spazio n. 2 invece è necessario scegliere tra un articolo determinativo o indeterminativo maschile singolare, dato che "numero" è un sostantivo maschile singolare.

Prova due. Completa il testo con le forme giuste dei verbi che sono tra parentesi.

La prova due prevede la coniugazione dei verbi forniti tra parentesi alla forma infinita, l'obiettivo è quello di verificare le competenze linguistica e grammaticale. Per prima cosa il candidato deve leggere interamente il testo ed individuare quegli elementi che gli consentano di capire se la narrazione si riferisce ad eventi presenti, passati o futuri. Gli elementi da individuare sono:

- gli altri verbi coniugati già presenti nel testo;
- le espressioni temporali che indicano lo svolgimento dei fatti: prima, dopo, durante, la prossima settimana, due mesi fa ecc. ;
- i discorsi diretti in cui intervengono altre persone perché potrebbe esserci un cambio di tempo e modo;
- i verbi, o particolari costruzioni, che prevedono successivamente l'uso di particolari verbi quali il congiuntivo: *penso che, ritenevano che, è possibile che* ecc. ;
- le congiunzioni che devono essere seguite da alcuni verbi al congiuntivo: *sebbene, nonostante, prima che* ecc.;
- le congiunzioni che devono essere seguite da verbi al modo indicativo: *anche se, dopo che* ecc. .

Prova tre. Completa il testo con una delle parole proposte.

La prova tre ha l'obiettivo di verificare la conoscenza lessicale e quindi la competenza d'uso di un lessico adeguato.

Per scegliere la parola corretta non si può far riferimento alla categoria grammaticale.

Esempio:

0.	a) giornata	b) festività	c) settimana	d) ricorrenza

Queste parole sono tutti sostantivi femminili singolari la cui unica differenza è il significato, una sua sfumatura o un uso particolare in determinate espressioni della lingua italiana.

Anche in questa prova è utile leggere interamente il testo e il titolo in modo da avere informazioni sull'argomento, sulla forma in cui il testo è scritto e sul registro adottato.

Al termine dello svolgimento della prova si consiglia al candidato di rileggere interamente il testo in modo da controllarne il significato globale.

Prova quattro. Completa il testo con una delle parole proposte.

La prova quattro prevede l'individuazione della situazione comunicativa in cui si svolge uno scambio comunicativo come quello proposto. L'obiettivo di questa prova è verificare la capacità di uso della lingua nei diversi contesti comunicativi. Tra queste diverse situazioni comunicative, o contesti, si può trovare:

- un annuncio (cerco-offro casa/camera);
- una richiesta cortese ad un cameriere, un barista, un addetto reception, un commesso di negozio;
- un'ordinazione al bar, al ristorante, in pizzeria;
- una prenotazione di un tavolo al ristorante o di una camera in albergo;
- un messaggio di segreteria telefonica;
- un consiglio scambiato tra amici, parenti, conoscenti;
- un biglietto d'auguri scritto per una particolare ricorrenza: compleanno, matrimonio, laurea, battesimo;
- un messaggio (sms) sul cellulare;
- una lamentela;
- un'informazione, data o ricevuta da passanti, in palestra, in piscina, in una scuola di lingue;
- una proposta, un invito da accettare o rifiutare;
- una richiesta di un favore o di un aiuto;
- un annuncio in un luogo pubblico come una stazione ferroviaria, un aeroporto che comunicano cancellazioni, cambio di orario partenza o arrivo, il binario, il gate;
- delle previsioni metereologiche.

Tutte queste situazioni comunicative sono caratterizzate da una maggior o minor formalità nel registro adottato.

Esempio:

> *Il volo AZ1430 con destinazione Roma Fiumicino partirà con un ritardo di 60 minuti, ci scusiamo per il disagio.*

Annuncio in luogo pubblico.

A. Sull'aereo l'assistente di volo si scusa del ritardo.

B. Telefoni ad un tuo amico e gli comunichi che il tuo aereo partirà con un ritardo di 60 minuti.

C. In aeroporto un annuncio avvisa del ritardo di un volo.

D. In aeroporto un passeggero si lamenta del ritardo del volo.

4. Test di produzione scritta.

È prevista la produzione di due testi con caratteristiche diverse in un'ora e dieci minuti. Solitamente un testo è di tipo narrativo o espositivo mentre il secondo è una lettera o email, formale o informale, da inviare per chiedere o dare informazioni relativamente a quanto esplicitato nella consegna. In entrambe le prove è utile osservare alcuni consigli, tra cui:

- leggere attentamente quanto richiesto in modo da individuare l'argomento centrale ed evitare di scrivere cose non richieste che potrebbero penalizzare nell'assegnazione del punteggio;
- fare una scaletta, un elenco sul foglio di brutta copia, da seguire durante la scrittura in modo da produrre un testo ordinato e chiaro;
- scrivere frasi corrette, anche se brevi, usando bene la punteggiatura ed evitare di fare frasi con troppe subordinate in quanto la possibilità di commettere errori aumenta notevolmente;
- usare in modo opportuno congiunzioni (ma, però, e, anche) e connettivi in modo da rendere il testo coeso, compatto;
- individuare e successivamente usare il registro, formale o informale, da rispettare così da scegliere accuratamente la forma dei verbi, degli appellativi e delle formule di chiusura e apertura della lettera o email;
- rileggere il testo per autocorreggere la struttura della frase o la scelta lessicale nel caso in cui non risulti corretta al candidato;
- rileggere il testo, se il candidato ha tempo, al contrario, dalla fine all'inizio, in modo da individuare eventuali errori ortografici ovvero nella scrittura della singola parola.

5. Test di produzione orale.

Il test di produzione orale comprende due prove: la produzione di un dialogo e di un monologo. In entrambe le prove il candidato ha qualche minuto per riordinare le idee, pensare al lessico necessario allo svolgimento della prova ed eventualmente creare una scaletta del discorso.

Prova uno.

Questa prova consiste in un dialogo, in una conversazione faccia a faccia, che il candidato fa con l'esaminatore che ha il compito di interagire con lui. Dopo la scelta della situazione, e passati i minuti di preparazione, il candidato può iniziare la conversazione con l'esaminatore rispettando il registro richiesto dalla situazione, formale o informale. La produzione deve essere quanto più possibile naturale, reale e colloquiale con un uso corretto della lingua italiana. Durante questa prova lo scambio comunicativo è forte e quindi possono esserci domande e risposte tra i due interlocutori che sono sullo stesso livello. La durata di questo dialogo può variare tra i due i tre minuti circa.

Prova due.

Questa prova invece consiste in un monologo, in un parlato monodirezionale in cui l'esaminatore ha il solo compito di ascoltare e registrare.

Il candidato può scegliere tra due argomenti o tra due fotografie da descrivere in un minuto e mezzo circa.

A differenza della prima prova, qui, l'esaminatore non interviene. Per questo motivo, nei minuti di preparazione, è utile crearsi una scaletta, un ordine da rispettare per evitare di creare un monologo confusionale o di non sapere cosa dire dopo pochi secondi dall'inizio.

La scelta della descrizione dell'immagine può, a volte, essere un aiuto per il candidato, se in possesso del lessico necessario, perché può fornire vari input da utilizzare. Infatti, dopo la descrizione di ciò che è presente nell'immagine, il candidato potrebbe parlare di qualcosa di collegato ad essa in modo da riempire il tempo necessario richiesto per lo svolgimento della prova.

B1 - È il livello che attesta la competenza in riferimento al profilo dell'apprendente autonomo del QCER. Verifica le capacità comunicative necessarie per usare la lingua italiana con autonomia e in modo adeguato nelle situazioni più frequenti della vita quotidiana in Italia. L'apprendente con questo livello di competenza è in grado di comunicare in italiano nelle situazioni di tutti i giorni in forma sia scritta sia orale, di comprendere i punti essenziali di un discorso articolato chiaramente in lingua standard, di leggere i testi scritti che incontra più frequentemente nella vita quotidiana. La produzione orale e scritta è comunicativamente efficace, anche se contiene errori.

SILLABO GRAMMATICALE LIVELLO B1

1. Articoli:
   - omissione degli articoli con gli indefiniti (qualche giorno, alcuni amici) o con i dimostrativi (questo libro);
   - usi e funzioni dell'articolo determinativo con le espressioni di tempo.
2. Aggettivi e pronomi indefiniti (qualche, alcuni, certo, ciascuno, ogni ecc… qualcuno, uno, qualcosa, altro).
3. I gradi dell'aggettivo qualificativo (comparativo di maggioranza e di minoranza, il superlativo relativo, il superlativo assoluto, comparativi irregolari di buono, cattivo, grande e piccolo).
4. Pronomi semplici e combinati.
5. Ci e ne.
6. Pronome relativo CHE, CUI, CHI.
7. Preposizioni:
   - uso delle preposizioni con i verbi aspettuali (cominciare, continuare…) e con il verbo di uso frequente (abituarsi a, accennare a, accettare di, accorgersi di, affermare di, affidarsi a…).
8. Avverbio:
   - mai, ora, già, ormai, talvolta, a poco a poco, all'improvviso, tardi, più tardi, presto;
   - avverbi composti (soprattutto).
9. Connettivi testuali:
   - anche, inoltre, in più, pure, invece, però, cioè, per esempio, infatti, così, allora, perciò, quindi, dunque, insomma ecc…
10. Verbi
   - ripasso e approfondimento degli usi dell'imperfetto indicativo (nelle descrizioni del passato, per indicare un'azione abituale nel passato, nei racconti dei sogni, nelle cronache giornalistiche, nel parlato per rendere cortese una richiesta, nel parlato per esprimere una condizione che non si è realizzata nel passato ecc…);
   - ripasso delle forme del passato prossimo (ausiliari, accordo participio passato, participio passato irregolare, inserimento elemento avverbiale tra ausiliare e participio come "ho subito/appena/già chiamato Luca");
   - forme e usi del futuro semplice e anteriore;
   - trapassato prossimo indicativo;
   - il condizionale presente;
   - il modo congiuntivo (forme e usi del presente e dell'imperfetto, congiuntivo esortativo);
   - i verbi aspettuali più frequenti (cominciare a, iniziare a, stare per, finire/smettere di, continuare a ecc…).

SILLABO COMPLESSIVO Livello INTERMEDIO (B1-B2)

Fonetica e ortografia	Ripasso ortografico: digrammi e trigrammi, consonanti doppie, grafemi particolari
	Ripasso: L'accento tonico e grafico
	Elisione
	Troncamento
	Rafforzamento sintattico fonetico e grafico
Morfologia e sintassi	Genere dei nomi: particolarità
	Numero dei nomi: particolarità
	L'articolo partitivo
	Usi particolari dell'articolo: con nomi propri di persona e cognomi, nomi di parentela preceduti da aggettivo possessivo, nomi geografici, nomi dei giorni e dei mesi
	L'articolo zero
	Le preposizioni articolate
	Pronomi diretti e indiretti
	Pronomi combinati
	Pronomi relativi
	Pronome partitivo 'ne'
	Uso di *ci*
	Ripasso: verbi transitivi e intransitivi
	Morfologia verbale: ripasso indicativo presente, imperfetto, passato prossimo, futuro semplice
	Morfologia verbale: indicativo trapassato prossimo, futuro anteriore, passato remoto
	Morfologia verbale: condizionale presente e passato
	Morfologia verbale: imperativo
	Morfologia verbale: congiuntivo presente, imperfetto, passato, trapassato
	Espressioni, locuzioni, congiunzioni da cui dipende il congiuntivo
	Forma passiva
	Si impersonale e passivante
	I gradi dell'aggettivo
	Gli avverbi: gradi e alterazione
	Locuzioni avverbiali
	Interiezioni ed esclamazioni
	Voci onomatopeiche
	C'è presentativo
	La doppia negazione
	Dislocazione a destra
	Dislocazione a sinistra
	Frasi nominali
Lessico e riflessione sulla lingua	Campo semantico 'sport'
	Campo semantico 'musica''strumenti musicali'
	Campo semantico 'scuola'
	Parole composte, conglomerati, parole-frase, parole-macedonia, unità lessicali
	Sinonimi di intensità crescente e decrescente
	Famiglie di parole: prefissi-suffissi, prefissoidi-suffissoidi
	Il linguaggio figurato: metafore del registro quotidiano
	Strategie metalinguistiche: prefissi e suffissi per i nomi di mestiere, sistemi di denominazione nelle insegne dei negozi
	Strategie metalinguistiche: meccanismi di formazione di contrari mediante suffissi
	Strategie metalinguistiche. Meccanismi di derivazione mediante prefissi e suffissi: nomi deverbali, aggettivi denominali…

Competenze pragmatiche	Comunicare che si ricorda (un fatto, una persona, una spiegazione)
	Comunicare che si è dimenticato qualcosa
	Confermare, incoraggiare l'interlocutore
	Esprimere perplessità
	Chiedere di approfondire o spiegare meglio
	Manifestare l'avvenuta comprensione
	Inserirsi in una conversazione
	Chiedere e verificare attenzione e comprensione dell'interlocutore
	Precisare, spiegarsi, correggere
	Riformulare, esemplificare, parafrasare
	Cedere il turno all'interlocutore
	Cambiare discorso, fare una digressione
	Smentire un'affermazione
	Esprimere una possibilità o un'impossibilità
	Esprimere disaccordo, disapprovazione
	Motivare il proprio disaccordo
	Esprimere accordo, solidarietà
	Chiedere cortesemente, ordinare
	Raccomandare di fare o di non fare
	Avvertire, segnalare
	Esprimere preoccupazione, paura, delusione
	Lamentarsi, esprimere noia
	Pregare, supplicare
	Chiedere consiglio, sostegno
	Manifestare gratitudine, soddisfazione
	Esprimere gioia, simpatia, antipatia…
Contenuti socio-culturali	Le abitudini degli italiani
	L'Università italiana
	La scuola in Italia
	Lo sport in Italia
	La musica in Italia
	Cinema e televisione in Italia
	Le vacanze degli italiani
	Viaggiare in Italia. Mete e mezzi di trasporto.
	Le festività in Italia
	Oroscopo e superstizioni
Varietà dell'Italiano	Registri e contesti comunicativi
	Lingua parlata e lingua scritta

TEST DI ASCOLTO

Prova n. 1

Test a scelta multipla composto da 7 item

Punteggio massimo: punti 7

I punti saranno così assegnati:

- punti 1: per ogni risposta esatta;
- punti 0: per ogni risposta sbagliata o omessa.

Prova n. 2

Test a scelta multipla composto da 7 item

Punteggio massimo: punti 7

I punti saranno così assegnati:

- punti 1: per ogni risposta esatta;
- punti 0: per ogni risposta sbagliata o omessa.

Prova n. 3

Test a individuazione di informazioni composto da 13 item

Punteggio massimo: punti 6

I punti saranno così assegnati:

- punti 1: per ogni risposta esatta;
- punti 0: per ogni risposta omessa.

Punteggio totale del test di ascolto: punti 20

TEST DI COMPRENSIONE DELLA LETTURA

Prova n. 1

Test a scelta multipla composto da 7 item

Punteggio massimo: punti 7

I punti saranno così assegnati:

- punti 1: per ogni risposta esatta;
- punti 0: per ogni risposta sbagliata o omessa.

Prova n. 2

Test a individuazione di informazioni composto da 15 item

Punteggio massimo: punti 7

I punti saranno così assegnati:

- punti 1: per ogni risposta esatta;
- punti 0: per ogni risposta omessa.

Prova n. 3

Test a ricostruzione composto da 10 item

Punteggio massimo: punti 6

I punti saranno così assegnati:

- punti 0,6: per ogni legame ricostruito in modo consequenziale;
- punti 0: per ogni legame ricostruito in modo non consequenziale o omesso.

Punteggio totale del test di comprensione della lettura: punti 20

TEST DI ANALISI DELLE STRUTTURE DI COMUNICAZIONE

Prova n. 1

Test a completamento composto da 20 item

Punteggio massimo: punti 6

I punti saranno così assegnati:

- punti 0,3: per ogni risposta esatta;

- punti 0: per ogni risposta sbagliata o omessa.

Prova n. 2

Test a completamento composto da 20 item

Punteggio massimo: punti 6

I punti saranno così assegnati:

- punti 0,3: per ogni risposta esatta;

- punti 0: per ogni risposta sbagliata o omessa.

Prova n. 3

Test a completamento con scelta multipla composto da 15 item

Punteggio massimo: punti 6

I punti saranno così assegnati:

- punti 0,4: per ogni completamento esatto;

- punti 0: per ogni completamento sbagliato o omesso.

Prova n. 4

Test a scelta multipla composto da 10 item

Punteggio massimo: punti 6

I punti saranno così assegnati:

- punti 0,6: per ogni risposta esatta;

- punti 0: per ogni risposta sbagliata o omessa.

Punteggio massimo grezzo = 24 - il punteggio totale del test deve essere riportato alla scala mediante la seguente proporzione: 20 : 24 = x : punteggio ottenuto dal candidato. (coeff: 0,83)

TEST DI PRODUZIONE SCRITTA

Prova n. 1

Prova a tema (100 - 120 parole)

Punteggio massimo: punti 10

I punti saranno così assegnati:

a) efficacia comunicativa: fino a punti 4;

b) correttezza morfosintattica: fino a punti 3,5;

c) adeguatezza e ricchezza lessicale: fino a punti 1,5;

d) ortografia e punteggiatura: fino a punti 1.

Prova n. 2

Prova a tema (50 - 80 parole)

Punteggio massimo: punti 10

I punti saranno così assegnati:

a) efficacia comunicativa: fino a punti 3;

b) adeguatezza stilistica alla tipologia testuale: fino a punti 1;

c) correttezza morfosintattica: fino a punti 3,5;

d) adeguatezza e ricchezza lessicale: fino a punti 1,5;

e) ortografia e punteggiatura: fino a punti 1.

Punteggio totale del test di produzione scritta: punti 20

TEST DI PRODUZIONE ORALE

Prova n. 1

Interazione faccia a faccia

Punteggio massimo: punti 10

I punti saranno così assegnati:

a) efficacia comunicativa: fino a punti 4;

b) correttezza morfosintattica: fino a punti 3;

c) adeguatezza e ricchezza lessicale: fino a punti 2;

d) pronuncia e intonazione: fino a punti 1.

Prova n. 2

Parlato faccia a faccia monodirezionale

Punteggio massimo: punti 10

I punti saranno così assegnati:

a) efficacia comunicativa: fino a punti 4;

b) correttezza morfosintattica: fino a punti 3;

c) adeguatezza e ricchezza lessicale: fino a punti 2;

d) pronuncia e intonazione: fino a punti 1.

Punteggio totale del test di produzione orale: punti 20

percorso CILS UNO B1

ASCOLTO COMPLETO 1

- **ASCOLTO**

  PROVA N.1

  PROVA N.2

  PROVA N.3

- **TRASCRIZIONI**

  PROVA N.1

  PROVA N.2

  PROVA N.3

- **SOLUZIONI E APPROFONDIMENTI**

Ascolta i testi. Poi completa le frasi. Scegli una delle quattro proposte di completamento. Alla fine del test di ascolto, DEVI SCRIVERE LE RISPOSTE NEL 'FOGLIO DELLE RISPOSTE'.

1. **La signora Anna va dal dottore perché**
   a. deve fare una visita di controllo.
   b. vuole comprare delle pastiglie per il mal di testa.
   c. è caduta e ha male alla testa e al collo.
   d. ha preso freddo e ha un forte mal di testa e male al collo.

2. **Il cameriere si scusa con la signora perché**
   a. la pizza è in ritardo di dieci minuti.
   b. i funghi non sono buoni.
   c. la pizza margherita è fredda.
   d. la pizza è sbagliata.

3. **Lucia chiama Matteo per chiedergli**
   a. se ha superato l'esame.
   b. se possono vedersi per studiare insieme.
   c. se vuole prendere un caffè.
   d. se vuole fare colazione con lui la mattina dopo.

4. **Il signore entra in un negozio di abbigliamento per**
   a. comprare una camicia sportiva.
   b. cambiare la taglia di una maglia blu.
   c. comprare una maglietta bianca e blu.
   d. provare un paio di pantaloni taglia small.

5. **L'annuncio informa i viaggiatori che**
   a. il treno partirà dal binario sedici.
   b. a Firenze Santa Maria Novella c'è uno sciopero.
   c. il binario corretto è il numero quattordici.
   d. il treno per Firenze delle sedici è stato cancellato.

6. **L'avviso comunica ai clienti che**
   a. ci sono trenta casse aperte.
   b. il supermercato chiuderà tra trenta minuti.
   c. le casse per pagare sono chiuse.
   d. si deve pagare in contanti.

7. **Nelle sale cinematografiche**
   a. si possono vedere solo i film di supereroi stellari.
   b. l'apertura è fissata per il 10 ottobre.
   c. offrono uno sconto, riservato agli studenti, per la visione di Cinex.
   d. fanno uno sconto del quindici per cento a tutti, per la visione di Cinex.

Ascolta il testo. È un dialogo tra fratello e sorella. Poi completa le frasi. Scegli una delle quattro proposte di completamento. Alla fine del test di ascolto, DEVI SCRIVERE LE RISPOSTE NEL 'FOGLIO DELLE RISPOSTE'.

1. **Quando Edoardo risponde al telefono sta**
   a. parlando con un suo collega.
   b. lavorando con il suo capo.
   c. facendo la pausa caffè.
   d. bevendo un caffè con il suo capo.

2. **Lisa chiama Edoardo per**
   a. invitarlo a mangiare una pizza con i loro genitori.
   b. proporgli una vacanza.
   c. invitarlo ad un matrimonio.
   d. organizzare una festa a sorpresa per i loro genitori.

3. **I genitori di Lisa e Edoardo**
   a. sono sposati da 29 anni.
   b. si sono sposati nel 1998.
   c. hanno 29 anni.
   d. vogliono fare una festa.

4. **La festa è domenica sera, e non sabato, perché**
   a. la fidanzata di Edoardo lavora.
   b. nessuno ha tempo di cucinare.
   c. i ristoranti di pesce sono chiusi
   d. Lisa lavora.

5. **Per festeggiare l'anniversario Edoardo compra**
   a. delle fragole di stagione.
   b. una torta e una bottiglia di vino.
   c. una torta al cioccolato e una bottiglia di birra.
   d. della birra e dei biscotti fragole e cioccolato.

6. **Lisa e Edoardo regalano ai loro genitori**
   a. una gita a Firenze.
   b. una vacanza in un'isola in Toscana.
   c. un fine a settimana a Viareggio, per il Carnevale.
   d. un fine settimana al mare.

7. **L'albergo che prenota deve essere**
   a. elegante, costoso e vicino al mare.
   b. carino e con un'ottima colazione italiana.
   c. vicino ad una pasticceria con dolci tipici.
   d. in centro città e con una buona colazione.

Ascolta il testo: è una trasmissione radiofonica. Poi leggi le informazioni. Scegli le 6 informazioni (da A a M) presenti nel testo. Alla fine del test di ascolto, DEVI SCRIVERE LE RISPOSTE NEL 'FOGLIO DELLE RISPOSTE'.

A. Matera è anche chiamata città dei Sassi.

B. Matera è la città più grande e popolosa del Sud Italia.

C. Ci sono delle case scavate nella pietra.

D. È una città circondata da montagne e colline.

E. In questa città ci sono numerose aziende internazionali.

F. Matera è sede di convegni e mostre.

G. Il sindaco della città ha deciso di trasformare gli studenti degli istituti superiori in guide turistiche.

H. Il sindaco ha avuto problemi a trovare guide turistiche capaci e preparate.

I. Secondo il sindaco, il Dottor Davidi, i giovani studiano poco.

J. I ragazzi a scuola non studiano storia dell'arte.

K. Gli studenti possono usare le conoscenze studiate sui libri.

L. Questo lavoro è un modo per usare le lingue straniere per comunicare con i turisti.

M. Di solito a Matera non ci sono turisti inglesi, francesi e spagnoli.

Trascrizione del testo audio

1.

- **Buongiorno dottore, non mi sento molto bene. (donna)**
- <u>Si accomodi</u> signora Anna, mi dica, dove ha male? (uomo)
- **Ho un forte mal di testa e male al collo.**
- Sicuramente sarà a causa del freddo. Prenda queste pastiglie due volte al giorno, le passerà sicuramente!

2.

- **Mi scusi cameriere, avevo ordinato una pizza margherita non una pizza con i funghi.. (donna)**
- Mi dispiace signora c'è stato un errore nell'ordine. (uomo)
- **Può portarmi una margherita, sono allergica ai funghi e non posso mangiarli.**
- Certamente, dieci minuti e la sua pizza margherita sarà pronta!

3.

- **Pronto Matteo, sono Lucia. (donna)**
- Ciao Lucia, come stai? Hai studiato per l'esame di lunedì? (uomo)
- **No, infatti <u>ho bisogno</u> del tuo aiuto! Possiamo studiare insieme oggi pomeriggio?**
- Mi dispiace, non posso oggi ho un impegno. Però possiamo vederci domani mattina verso le 9.

4.

- **Buongiorno signorina, vorrei vedere quella camicia in vetrina. (uomo)**
- Questa blu o quella bianca? (donna)
- **Questa blu la preferisco, è più sportiva, ha una taglia small?**
- Controllo subito nel magazzino…eccola, la vuole provare?

5.

- Il treno per Firenze Santa Maria Novella partirà dal binario quattordici **<u>invece che</u>** dal binario sedici. Ci scusiamo per il disagio.

6.

- **<u>Si avvisa</u>** la gentile clientela che il supermercato chiuderà tra trenta minuti. Si invitano i signori clienti ad avvicinarsi alle casse.

7.

- È in arrivo nelle migliori sale cinematografiche *Cinex* l'ultimo capitolo della serie *Supereroi stellari*. In questa occasione, a partire dal 10 ottobre, gli studenti avranno **inoltre** uno sconto del quindici per cento!

Trascrizione del testo audio

- **Pronto Edoardo, sono Lisa ti disturbo? Sei a lavoro?**

- Ciao Lisa, non ti preoccupare sono in pausa caffè. Come stai? Tutto bene?

- **Tutto bene, sto andando a lavoro, inizio dopo pranzo. Ti chiamo per proporti una cosa…**

- Dimmi tutto… ho dieci minuti di tempo! Ho bisogno di fare quattro chiacchere qui a lavoro oggi il capo è insopportabile, tutto per colpa di un errore di un mio collega.

- **Sai che la prossima settimana è l'anniversario di matrimonio di mamma e papà, pensavo di organizzare una festa a sorpresa, magari sabato sera, <u>che ne dici</u>?**

- E già! Quanti anni di matrimonio? 29 giusto? Ottima idea organizzare una festa ma io e Chiara, la mia fidanzata, non ci siamo sabato sera, lei finisce tardi di lavorare, possiamo fare domenica sera?

- **Sì, 29 anni di matrimonio, si sono sposati nel 1988. Per noi va benissimo anche domenica sera, ceniamo a casa nostra. Io e Francesco andiamo a fare la spesa al supermercato e cuciniamo un po' di pesce e un risotto ai frutti di mare.**

- Va benissimo, noi portiamo una torta panna, cioccolato e fragole e una bottiglia di spumante per festeggiare. Ci vediamo per le nove?

- **Facciamo otto e mezza che poi il lunedì lavoriamo tutti! Per il regalo? Cosa gli prendiamo?**

- Ok, va bene per le otto e mezza. Possiamo regalargli un fine settimana al mare, magari in Toscana vicino a Viareggio. Prenoto io?

- **Idea fantastica, se tu hai tempo di prenotare sarebbe fantastico, in questi giorni sono impegnata, ho tante scadenze da rispettare. Guarda un albergo carino, magari vicino al mare e con una prima colazione eccezionale, sai che a mamma piace solo la colazione italiana con cappuccino e cornetto!**

- Va bene. Adesso ti devo salutare che ho finito la pausa e rientro a lavoro altrimenti il capo si arrabbia anche con me!

- **Ci sentiamo domani allora! Salutami Chiara!**

- Buon lavoro sorellina, ci sentiamo domani!

Trascrizione del testo audio

In questa puntata parliamo di un'iniziativa del sindaco di una bellissima città della Basilicata, Matera.

Matera, chiamata anche città dei sassi, è patrimonio mondiale dell'UNESCO. È una città con origini molto antiche e con delle costruzioni uniche nel loro genere. Qui a Matera è possibile ammirare delle case scavate nella roccia sulla parete di una collina. Grazie a questa sua unicità è diventata patrimonio mondiale e sede di numerose mostre e conferenze nazionali e internazionali.

Le case costruite nei sassi non sono più abitate ma sono diventate sede di alcuni musei. Il sindaco di questa città, il Dottor Davidi, ha deciso di aprire le porte dei musei agli studenti degli istituti superiori della Basilicata per farli diventare delle vere e proprie guide turistiche formate e capaci di spiegare la bellezza di questa regione a turisti italiani e stranieri.

Lasciamo la parola al sindaco che ci spiegherà meglio il motivo di questa sua iniziativa.

*Troppo spesso i nostri giovani sono accusati di essere poco intraprendenti e motivati. Secondo me il problema non è dei ragazzi, **bensì** di noi adulti che, per paura, non gli diamo responsabilità. I giovani amano **mettersi in gioco**, provare e non c'è attività migliore di quella di fargli **mettere in pratica** le tante pagine studiate a scuola. È giusto che loro possano aiutare i turisti a conoscere Matera e la Basilicata, in questo modo possono usare anche le lingue straniere imparate a scuola come l'inglese, il francese e lo spagnolo e capire l'importanza del lavoro.*

ASCOLTO COMPLETO 1

PROVA N.1

1.d	2.d	3.b	4.a	5.c	6.b	7.c

APPROFONDIMENTI

- **TESTO N. 1:** _**Si accomodi:**_ invito ad entrare o a sedersi

L'espressione è un imperativo formale:
usiamo l'imperativo formale per dare ordini, invitare qualcuno a fare qualcosa, esortare e incitare in situazioni formali quando diamo del LEI.

Esempi
Prego, si accomodi!
Entri pure, si accomodi!

L'imperativo formale prende in prestito le forme del congiuntivo presente

- **TESTO N. 3: Ho bisogno di:** avere la necessità di

C'è bisogno di + infinito o nome (impersonale)
Bisogna + infinito (verbo impersonale)
Avere bisogno di + infinito o nome (personale: io, tu, lui/lei/Lei, noi, voi, loro)

Esempi
- Non c'è **bisogno di** (non è necessario) gridare, sento benissimo!
- Secondo me il problema è semplice e non c'è **bisogno** di (non è necessario) chiamare nessuno.
- **Bisogna** (è necessario) subito versare il sugo sugli spaghetti.
- Ho **bisogno di** (io devo arrivare) un po' di riposo.

TESTO N. 5: Invece che è uguale a invece di, entrambi sono corrette, ma **invece di** è usato più frequentemente. La parola **invece** esprime il significato di **al contrario.**

Esempi
Studia invece di giocare.
Studia, invece che giocare.
Le regalerò un libro invece dei soliti fiori.

- **TESTO N. 7: inoltre (avverbio):** per di più, oltre a ciò, ancora, dopo,

Esempi
Paolo è una persona brillante, e inoltre molto socievole.
Ti invio inoltre il calendario degli appuntamenti di lavoro.

PROVA N.2

1.c	2.d	3.a	4.a	5.b	6.d	7.b

APPROFONDIMENTI

Che ne dici? Cosa pensi di questo?

Uso di NE

Il NE ha 3 funzioni principali:

1. Ne partitivo: utilizzato per esprimere una quantità, la particella NE viene usata quando si parla di una parte o di una quantità oppure di niente (quantità=zero); quando si parla, invece, della quantità intera (tutto/tutta/tutti/tutte) si usano i normali pronomi diretti LO, LA, LI, LE.

Esempi
Quanti anni hai? Io ne ho 21. (NE= di anni)
Vuoi un po' di birra? Io non ne bevo più. (NE= di birra)
I libri erano in offerta e ne ho comprati 3. (NE= di libri, 3 su tutti quelli che c'erano)

2. Ne che sostituisce **di qualcosa / di qualcuno.**

Esempi
Mi dispiace per i tuoi problemi. Ne hai parlato con tua madre? (NE= di quello che è successo)
Paolo si è comportato malissimo ieri! Non ne voglio più sapere! (NE= di lui)
Scusami ma non ho soldi in tasca, pensavo di averne. (NE= di soldi)

3. Ne che sostituisce **da un luogo / da una situazione.**

Esempi
Quella donna è troppo pericolosa, devo starne lontano. (Ne= da quella ragazza)
Capisco che ti trovi in un brutto momento, ma cerca di uscirne. (NE= da quella brutta situazione)

PROVA N.3

A	C	F	G	K	L

APPROFONDIMENTI

- **Bensì:** *(congiunzione)* ma piuttosto, ma invece, ma anzi.

Esempi
La riunione non sarà lunedì, **bensì** martedì.

- **mettersi in gioco:** rischiare personalmente, mettersi in discussione.

Esempi
Il giocatore di calcio ha deciso di cambiare squadra per **mettersi in gioco** e ricominciare da una squadra più piccola.

- **Mettere in pratica:** attuare praticamente, concretamente.

Esempi
Mettere in pratica i buoni consigli, un proposito.

percorso CILS UNO B1

ASCOLTO COMPLETO 2

- **ASCOLTO**
  PROVA N.1
  PROVA N.2
  PROVA N.3

- **TRASCRIZIONI**
  PROVA N.1
  PROVA N.2
  PROVA N.3

- **SOLUZIONI E APPROFONDIMENTI**

Ascolta i testi. Poi completa le frasi. Scegli una delle quattro proposte di completamento. Alla fine del test di ascolto, DEVI SCRIVERE LE RISPOSTE NEL 'FOGLIO DELLE RISPOSTE'.

1. **Per entrare alla mostra fotografica**
   a. sono necessari i biglietti.
   b. l'ingresso è libero.
   c. è necessario un invito speciale.
   d. bisogna fare la prenotazione online.

2. **I due signori parlano del biglietto dell'autobus che**
   a. non si paga.
   b. si compra in edicola.
   c. si può comprare a bordo dell'autobus.
   d. si compra in stazione.

3. **Fabio rifiuta l'invito**
   a. perché deve cenare a casa.
   b. perché lavora.
   c. perché è il suo compleanno.
   d. perché è il compleanno di suo fratello.

4. **Un signore chiede informazioni**
   a. in biglietteria sul prossimo treno per Bologna.
   b. al capotreno.
   c. all'ufficio informazioni di Bologna.
   d. ad un passeggero al binario tre.

5. **L'annuncio comunica ai viaggiatori**
   a. un ritardo del volo.
   b. un cambio del gate.
   c. l'inizio delle procedure di imbarco.
   d. la cancellazione del volo.

6. **La pubblicità presenta**
   a. una nuova catena di supermercati.
   b. una bevanda adatta a tutti.
   c. una merenda per i bambini
   d. un nuovo profumo alla fragola.

7. **L'ultimo volume "Supereroi"**
   a. costa solo cinque euro.
   b. costa diciannove euro in tutte le librerie.
   c. sarà in vendita per una settimana.
   d. è in offerta a quindici euro.

Ascolta il testo. Poi completa le frasi. Scegli una delle quattro proposte di completamento. Alla fine del test di ascolto, DEVI SCRIVERE LE RISPOSTE NEL 'FOGLIO DELLE RISPOSTE'.

1. **L'intervista è**

   a. registrata negli studi televisivi di Milano.

   b. in diretta su Radio 104.

   c. in diretta televisiva.

   d. molto seguita.

2. **Antonio gioca a calcio**

   a. da sei anni.

   b. da quando aveva diciannove anni.

   c. da quando era un bambino di sei anni.

   d. dal 2000.

3. **I suoi progetti per il futuro**

   a. sono ancora da definire, anche se ha ricevuto già alcune proposte.

   b. sono di andare a vivere con i genitori.

   c. sono già decisi, il prossimo anno andrà all'estero.

   d. non vuole dirli al pubblico.

4. **Quando il giocatore va all'estero, per lavoro o divertimento, gli manca**

   a. la città di Milano.

   b. sua nonna, la miglior cuoca del mondo.

   c. la cucina italiana.

   d. tutta la sua famiglia.

5. **Antonio consiglia ai giovani calciatori di**

   a. cambiare sport perché il calcio è molto difficile.

   b. fare il portiere perché è il ruolo più bello.

   c. farsi aiutare dai propri genitori.

   d. continuare a credere nei propri sogni e desideri.

6. **Castellammare di Stabia è una città campana che**

   a. tanti anni fa è stata distrutta da un'eruzione vulcanica.

   b. è situata lontano dal Vesuvio.

   c. è famosa per il suo mare limpido.

   d. è conosciuta per i suoi vulcani.

7. **Quando Corci non gioca a calcio**

   a. sta a casa e guarda le partite del Milan.

   b. esce in compagnia e si diverte.

   c. ama sciare e andare in montagna.

   d. va nella sua città di origine, Castellammare di Stabia.

Ascolta il testo: è una trasmissione radiofonica. Poi leggi le informazioni. Scegli le 6 informazioni (da A a M) presenti nel testo. Alla fine del test di ascolto, DEVI SCRIVERE LE RISPOSTE NEL 'FOGLIO DELLE RISPOSTE'.

A. Domenica 29 aprile inizia la mostra fotografica "I nuovi volti italiani".

B. La Reggia di Venaria Reale si trova in provincia di Torino.

C. Il numero di visitatori è stato elevato.

D. Sono tre i motivi principali del successo tra cui l'ingresso libero.

E. I figli degli immigrati stranieri in Italia sono i protagonisti di questa mostra.

F. Il Dott. Riversi lavora da molti anni con fotografi cinesi e americani.

G. Secondo il Dott. Riversi uno degli aspetti più interessanti è stata la partecipazione delle scuole medie superiori.

H. Il direttore della mostra non è felice del lavoro degli insegnanti nelle scuole italiane.

I. Il responsabile della Reggia è un anziano ingegnere.

J. L'architetto Rossi è molto contenta della mostra fotografica.

K. All'architetto non sono piaciute molte fotografie, le sono piaciute solo due foto di paesaggi.

L. La direttrice della Reggia è d'accordo con le iniziative di sensibilizzazione sociale.

M. L'elemento più bello delle fotografie esposte, secondo l'architetto Rossi, sono gli sguardi, gli occhi dei ragazzi fotografati.

Trascrizione del testo audio

1.

- **Ciao Filippo, cosa fate stasera? (donna)**
- Ciao Chiara! Stasera io e Marco andiamo a vedere una mostra fotografica in centro! (**uomo**)
- **Bello, <u>magari</u> veniamo anche io e Luca, c'è bisogno dei biglietti?**
- Benissimo, l'ingresso è gratuito. Ci vediamo stasera allora!

2.

- **Scusa è già passato l'autobus numero dodici per la stazione? (uomo)**
- No. Anche io sto aspettando l'autobus per andare in stazione. (donna)
- **Sai quanto costa il biglietto?**
- Sì, costa 3 euro e cinquanta. Lo puoi comprare sull'autobus!

3.

- **Pronto Fabio, sono Lucia. (donna)**
- Ciao Lucia, dimmi! (uomo)
- **Vuoi venire a cena a casa mia stasera?**
- Mi dispiace, non posso. Vado alla festa di compleanno di mio fratello.

4.

- **Buongiorno signora, vorrei sapere quando parte il prossimo treno per Bologna. (uomo)**
- Allora, il prossimo treno parte tra quaranta minuti, a mezzogiorno, dal binario numero tre. (donna)
- **Posso comprare un biglietto?**
- Certo! In seconda classe costa tredici euro e settanta.

5.

- L'imbarco del volo AZ1211 inizierà tra pochi minuti al gate ventisette.

6.

- Provate la nuova bevanda <u>al gusto di</u> fragola della marca Succhissimo! Piace a tutti, grandi e piccoli. Disponibile nei migliori supermercati vicino a casa tua!

7.

- Da oggi, in tutte le librerie, l'ultimo volume della collezione "Supereroi". Solo per la prima settimana il prezzo sarà di quindici euro invece che diciannove euro.

Trascrizione del testo audio

- Buongiorno a tutti i telespettatori! Oggi in diretta, negli studi di TuttoCalcio, abbiamo il giovanissimo portiere del Milan. Benvenuto Antonio Corci!

- **Buongiorno a voi, e grazie dell'invito!**

- Antonio sei molto famoso in Italia per la tua bravura e per la tua età… sei giovanissimo! Quanti anni hai?

- **Sono nato nel 2000, ho 18 anni.**

- Infatti sei giovanissimo. Ma quando hai iniziato a giocare a calcio?

- **Ho iniziato quando ero un bambino piccolo. Avevo sei anni e mio papà mi portava a fare gli allenamenti. Adesso gioco in Serie A e sono molto soddisfatto e felice.**

- Immagino. La tua famiglia cosa pensa del tuo lavoro e del tuo successo?

- **Sono tutti molto contenti. Mi hanno sempre aiutato e consigliato. Adesso gioco a Milano <u>ma</u> il prossimo anno forse andrò per un po' di tempo all'estero visto che ho già avuto richieste da altre squadre.**

- Non ti mancherà niente dell'Italia?

- **<u>Ma</u>, non è ancora sicuro. Adesso vivo bene a Milano, vicino alla mia famiglia e alla mia fidanzata. Comunque quando vado all'estero la cosa che mi manca di più è sicuramente il buon cibo. Il mio piatto preferito sono gli spaghetti al pomodoro e pesto. È una ricetta di mia nonna, lei è la miglior cuoca del mondo.**

- Antonio, detto Tony, quali consigli vuoi dare ai giovani che giocano a calcio?

- **Tutti devono seguire i propri sogni. Gli allenamenti sono difficili ma sono molto importanti per diventare dei veri campioni. Io sono un portiere e il mio allenamento è diverso da quello dei miei compagni. Io ho due preparatori e a volte mi alleno da solo. Il calcio è uno sport bellissimo!**

- Adesso tu abiti a Milano ma il tuo paese di origine è vicino a Napoli a circa 10 minuti di macchina dal mio paese di origine, sei di Castellammare vero?

- **Sì, io sono nato a Castellammare di Stabia, un paese sul mare vicino a Napoli. La cosa più bella di questa città è il panorama, si possono vedere il Vesuvio e il mare. Il mio paese ha una storia molto interessante, nel 70 d.c. infatti è stata distrutta da un'eruzione vulcanica del Vesuvio insieme alle città di Pompei ed Ercolano.**

- Un'ultima domanda Antonio. Quando non devi giocare a calcio cosa ti piace fare nel tempo libero?

- **Come tutti i giovani, anche io amo uscire con i miei amici e la mia fidanzata. Andiamo a ballare nelle discoteche di Milano e quando non abbiamo impegni viaggiamo in giro per il mondo. Le persone, come me, che giocano in Serie A sono molto fortunate perché guadagnano molti soldi.**

- Grazie dell'intervista. Sei un ragazzo molto simpatico e gentile. Ti aspettiamo qui nei nostri studi di Tuttocalcio per un'altra intervista.

Trascrizione del testo audio

Domenica 29 aprile si è conclusa la mostra fotografica "I nuovi volti italiani" alla Reggia di Venaria Reale in provincia di Torino. Il numero di spettatori è stato sorprendente e così come la soddisfazione dopo la visita. La mostra ha avuto un grande successo per due ragioni principali: il primo legato alla Reggia che è un luogo con un immenso valore storico e culturale, il secondo è legato al messaggio delle fotografie esposte, ovvero la vita dei figli di immigrati stranieri in Italia.

Ascoltiamo adesso le opinioni del Direttore artistico della mostra e della Direttrice della Reggia.

Sono il Dott. Riversi e **da** molti anni mi occupo **dell**'allestimento **di** mostre fotografiche legate ai temi dell'umanità, **della** sensibilizzazione sociale nei confronti **di** temi forti, quali quello **dell**'immigrazione. Sono molto contento **dell**'alta partecipazione delle scuole medie superiori **della** città e provincia di Torino. Secondo me le scuole, con queste attività extra, possono aiutare i giovani e i giovanissimi ad accettare la diversità.

Mi chiamo Pina Rossi e sono l'architetto responsabile della Reggia. Innanzitutto voglio ringraziare il dott. Riversi per aver scelto come sede della sua mostra la nostra bellissima Reggia. Per noi è stato un onore avere questa mostra fotografica e dobbiamo ringraziare tutti gli organizzatori per l'ottimo lavoro fatto. Secondo me l'elemento più bello **delle** fotografie esposte è stato il messaggio trasmesso **dagli** occhi dei ragazzi fotografati. Occhi pieni **di** gioia e **di** sogni per il futuro. Un futuro che loro vogliono qui, in Italia.

PROVA N.1

1.b	2.c	3.d	4.a	5.c	6.b	7.d

APPROFONDIMENTI

TESTO N. 1

Magari

1) Con il significato "Sarebbe bello! Me lo auguro! Speriamo! Lo spero proprio!".
In questo caso si usa da solo nelle risposte come un'esclamazione che esprime un augurio, un desiderio, una speranza.

Esempi:
È vero che hai vinto la lotteria?
Magari! *(=sarebbe bello, ma non l'ho vinta)*
Ti piacerebbe vivere a San Francisco?
Magari! *(=sarebbe fantastico!)*

2) Con il significato " forse, probabilmente".

Esempi:
*Se vuoi, possiamo cenare insieme e **magari** (=forse) guardare un film alla TV.*
*Non mi risponde al telefono da due giorni, **magari** (=forse) è arrabbiato con me.*
*È bravo, **magari** (=forse, eventualmente), a fare questo lavoro.*

PROVA N.2

1.c	2.c	3.a	4.c	5.d	6.a	7.b

APPROFONDIMENTI

Differenza fra MA e PERÒ

Essi esprimono un fatto o una situazione in contrasto totale o parziale con quanto espresso nella frase precedente.
<u>Uso</u>
MA <u>si usa solo all'inizio della seconda frase, cioè quella che esprime il contrasto.</u>

Esempi
*Leggo molti libri, **ma** non leggo quotidiani.*
*Mi piace molto andare al mare, **ma** non riesco mai per gli impegni di lavoro.*

PERÒ *si può usare:*
nello stesso modo in cui si usa MA (all'inizio della seconda frase)

Esempio
*Leggo molti libri **però** non leggo quotidiani.*

alla fine della seconda frase, cioè quella che esprime il contrasto
*Es: Leggo molti libri; non leggo quotidiani, **però**.*

PROVA N.3

B	C	E	G	J	M

APPROFONDIMENTI

USO DELLA PREPOSIZIONE **DI**

PREPOSIZIONE	SIGNIFICATO	ESEMPIO
DI	Indica le caratteristiche di qualcuno o di qualcosa: • possesso • materia • qualità • argomento • tempo • modo	 *Il quaderno di Maria.* *Un foglio di carta.* *Una ragazza di buon cuore.* *Parlare di sport.* *D'estate fa caldo.* *Arrivare di corsa.*

USO DELLA PREPOSIZIONE **DA**

PREPOSIZIONE	SIGNIFICATO	ESEMPIO
DA	Indica la provenienza di qualcuno/qualcosa: • moto da luogo o la provenienza di un'azione; • complemento d'agente. Può anche indicare: • moto a luogo (se si va da una persona); • fine o scopo.	 *Arrivo da Venezia.* *È stato ucciso da un ladro.* *Vado da Maria.* *Tazzina da caffè.*

percorso
CILS UNO B1

LETTURA COMPLETA 1

- **COMPRENSIONE** DELLA LETTURA

  PROVA N.1

  PROVA N.2

  PROVA N.3

- **SOLUZIONI** E APPROFONDIMENTI

Leggi il testo.

Grande settembre piemontese: il Festival delle Sagre e il Palio di Asti

1 Sono migliaia le persone che ogni anno, ad inizio settembre, vanno ad Asti per respirare le
2 atmosfere di mondi antichi e mangiare prodotti della tradizione enogastronomica piemontese.
3 Il sindaco di Asti è molto contento del numero elevato di turisti e ha dichiarato: "Investire in
4 questo Festival è importante per tutta l'economia della città di Asti, non solo per il turismo".
5 Quest'anno il Festival comincerà il *10 settembre* con il Festival delle Sagre che porta in scena
6 il mondo contadino dell'Ottocento e Novecento. La manifestazione inizierà la mattina presto
7 con la sfilata, per le vie cittadine, di 3000 persone in costumi d'epoca che sfileranno a piedi e
8 su carri trainati da trattori e buoi. Gli organizzatori del Festival hanno annunciato: "Quest'anno
9 sono previsti più turisti rispetto l'anno scorso". Ogni paese della provincia metterà in scena il
10 lavoro nei campi, i mestieri, le feste contadine e i riti religiosi.
11 La sfilata terminerà in piazza *Campo del Palio* dove ci saranno dei cuochi volontari che
12 prepareranno e serviranno al pubblico i piatti della tradizione piemontese.
13 Nel frattempo inizierà il *Salone Nazionale dei Vini Selezionati* che dal 1967 è diventato una delle
14 più prestigiose fiere-mercato del vino italiano. Nei dieci giorni della manifestazione verranno
15 presentati, in degustazione e in vendita, centinaia di vini Doc e Docg selezionati dagli esperti
16 con un concorso nazionale. A lato della manifestazione ci sarà un ricco programma di eventi
17 culturali ispirati al mondo del vino con ospiti di livello nazionale.
18 I festeggiamenti settembrini si concluderanno domenica *17 settembre* con la corsa del *Palio*.
19 L'evento, nato nell'ambito delle celebrazioni patronali di San Secondo, ha radici medievali e si
20 svolge con continuità dal XIII secolo, eccetto due interruzioni di settanta anni nel XIX secolo e
21 di trenta nel XX secolo. Il vincitore della Palio 2016, Claudio Casoni ha detto: "Questa gara ha
22 un'importanza simbolica per tutta la città di Asti. L'importante non è vincere ma partecipare!".
23 Prima di questa gara ci sarà una sfilata composta da più di 1200 persone in maschera che
24 reciteranno degli episodi importanti della storia medievale della città. La miglior maschera e
25 il miglior vestito del corteo riceveranno in premio la *Pergamena d'Autore*, un'opera d'arte su
26 pergamena.

Completa le seguenti frasi. Scegli una delle quattro proposte di completamento che ti diamo per ogni frase. DEVI SCRIVERE LE RISPOSTE NEL 'FOGLIO DELLE RISPOSTE'.

1. **Secondo il sindaco di Asti il Festival**
   a. è importante solo per il settore del turismo.
   b. determina effetti positivi su tutta l'economia della città.
   c. ha pochi partecipanti.
   d. non è più frequentato come gli anni scorsi.

2. **Quest'anno il Festival delle Sagre ha come protagonista**
   a. il mondo contadino.
   b. la cucina piemontese.
   c. il lavoro industriale.
   d. la nascita dei comuni.

3. **Secondo gli organizzatori del Festival**
   a. quest'anno ci saranno pochi partecipanti.
   b. ci saranno più partecipanti dell'anno scorso.
   c. il numero di partecipanti sarà uguale.
   d. il sindaco di Asti non è d'accordo sull' organizzazione.

4. **Il Salone Nazionale dei Vini Selezionati si svolgerà**
   a. alla fine del Festival delle Sagre.
   b. prima del Festival delle Sagre.
   c. contemporaneamente al Festival delle Sagre.
   d. nel mese di agosto.

5. **La corsa del Palio**
   a. è nata nel XIII secolo.
   b. è stata inaugurata tra il XIX e il XX secolo.
   c. non si svolge più da molti anni.
   d. è l'evento meno famoso del Piemonte.

6. **Secondo Claudio Casoni**
   a. il Palio è ormai antico e non più rilevante per la città di Asti.
   b. la cosa più importante è vincere il Palio.
   c. è importante partecipare al Palio perché è un simbolo della città di Asti.
   d. il corteo, con le 1200 persone in maschera, è un bell'evento.

7. **La pergamena d'autore è il premio che viene dato**
   a. al cavallo che arriva primo al traguardo.
   b. al fantino che arriva al traguardo.
   c. al partecipante più giovane.
   d. al partecipante con la maschera più bella.

Leggi il testo.

Master in didattica dell'italiano L2/LS

1 L'obiettivo del Master in Didattica dell'italiano L2 e LS è quello di rispondere al crescente
2 bisogno di formazione, aggiornamento e riqualificazione professionale degli insegnanti della
3 scuola primaria e secondaria, e quello di formare la nuova figura professionale del docente di
4 italiano per stranieri. Durante il Master gli studenti studieranno diverse discipline e avranno
5 due libri di testo. Al termine dei corsi sarà possibile fare un tirocinio presso scuole e università
6 italiane e straniere.
7 Per ottenere il certificato finale sarà necessario presentare un elaborato scritto di circa 25
8 pagine su un argomento scelto con il docente.
9 Di seguito si riportano i principali requisiti di ammissione che il candidato dovrà dimostrare di
10 avere al momento dell'iscrizione.
11 REQUISITI DI AMMISSIONE
12 • Laurea italiana in Lettere e Filosofia, Pedagogia, Scienze della Formazione, Lingue e Letterature
13 Straniere;
14 • Laurea straniera negli stessi ambiti;
15 • Per le altre lauree è necessaria l'approvazione della Direzione.
16 L'ultimo giorno per presentare la domanda è il 15 luglio 2016. Entro tale data lo studente
17 dovrà effettuare il pagamento di 450€ tramite bonifico bancario.
18 OFFERTA DIDATTICA
19 • La durata è di 210 ore di cui:
20 - 120 ore di lezioni teoriche e pratiche;
21 - 30 ore di tirocinio attivo;
22 - 60 ore di osservazione.
23 • Lezioni: il martedì e il venerdì dalle 15 alle 20.
24 • Periodo: dal 1° settembre 2016 al 17 aprile 2017.
25 • Titolo di studio rilasciato: attestato di competenza, previo superamento della prova finale e
26 del rispetto dell'obbligo di frequenza (80% del monte ore complessivo).

Leggi le informazioni. Scegli le 7 informazioni presenti nel testo che hai letto.
DEVI SCRIVERE LE TUE SCELTE NEL 'FOGLIO DELLE RISPOSTE'.

1. Il Master è obbligatorio per gli insegnanti delle scuole italiane.
2. Il Master è uno strumento di aggiornamento per gli insegnanti delle scuole primarie e secondarie.
3. I libri da studiare durante il Master sono 2. La bibliografia completa è disponibile sul sito Internet della scuola.
4. É necessario portare a lezione un pc o tablet personale.
5. Per ottenere il certificato finale bisogna preparare un elaborato scritto.
6. La laurea è un requisito d'ammissione necessario.
7. Possono partecipare anche le persona diplomate dopo l'approvazione della direzione.
8. La data di scadenza del pagamento della quota di iscrizione è il 15 luglio.
9. La quota di iscrizione non è obbligatoria. Ogni studente decide se versarla o meno e ricevere così la tessera associativa.
10. Il pagamento della quota di iscrizione può essere fatto in contanti.
11. Le ore di lezione totali sono 120.
12. Le lezioni sono tutti i giorni della settimana, dal lunedì al venerdì, esclusi i giorni festivi e il sabato.
13. La durata del tirocinio è di 30 ore.
14. Le lezioni durano da aprile a settembre. La durata totale è di 5 mesi.
15. La frequenza è obbligatoria. Il minimo necessario è l'80% delle lezioni complessive.

Leggi il testo. Il testo è diviso in 11 parti. Le parti non sono in ordine. Ricostruisci il testo. Scrivi il numero d'ordine accanto a ciascuna parte. DEVI SCRIVERE LE RISPOSTE NEL 'FOGLIO DELLE RISPOSTE'.

[9] A. I cuochi più rinomati comprano solo presso i loro produttori di fiducia. Secondo loro solo così la carbonara può rimanere un piatto inimitabile nel mondo.

[2] B. I cinque ingredienti fondamentali sono: il pecorino, il sale, il pepe nero, le uova e il guanciale di maiale. Ma secondo i più prestigiosi esperti c'è un altro ingrediente fondamentale.

[8] C. Questi cambiamenti alla ricetta originale non sono apprezzati dagli italiani residenti all'estero.

[7] D. La prima ragione per cui non piacciono sono proprio le modifiche fatte alle ricette originali.

[1] E. In molti paesi si festeggia "il giorno della carbonara" che rappresenta un successo mondiale tutto italiano. Ma quali sono gli ingredienti?

[4] F. Nonostante ciò, in molti paesi del mondo, questo piatto è stato imitato.

[10] G. Le materie prime devono essere eccellenti e a km 0, questa è la nuova parola d'ordine. Gli ingredienti devono essere comprati da agricoltori e produttori locali per garantire la genuinità del piatto.

[11] H. La seconda ragione è la qualità stessa dei prodotti che non è la stessa che si trova in Italia. Per questo motivo quando siamo all'estero, meglio la cucina locale!

[6] I. Ben tre italiani su quattro sono delusi dei piatti italiani serviti nei ristoranti all'estero.

[3] J. Infatti, per ottenere una carbonara perfetta, il sesto ingrediente è la qualità dei prodotti.

[5] K. Per esempio in Spagna dove la carbonara si fa con il pesce o in Cina dove si usa il pollo al posto del maiale.

PROVA N.1

1. B	2. A	3. B	4. C	5. A	6. C	7. D

APPROFONDIMENTI

1. B: la risposta si trova alla **riga n. 4** del testo, *Investire in questo Festival è importante per tutta l'economia della città.*

2. A: la risposta si trova alla **riga n. 6**, *il Festival porta in scena il mondo contadino.*
Portare in scena è sinonimo di **mettere in scena** ovvero rappresentare, recitare, fare uno spettacolo.

3. B: la risposta si trova alla **riga n. 9**, *sono previsti più turisti rispetto all'anno scorso.*
Previsto è il participio passato del verbo prevedere, in questa frase ha il significato di ipotizzare la possibilità di un evento.

4. C: la risposta si trova alla **riga n.13,** *nel frattempo inizierà il Salone Nazionale dei vini selezionati.*
Nel frattempo significa nello stesso momento o periodo, **contemporaneamente.**

5. A: la risposta si trova alla riga n. 20, *il Festival si svolge con continuità dal XIII secolo.*
Ciò significa che il Festival è iniziato nel XIII secolo.
La preposizione **da** indica il punto di partenza.

6. C: la risposta si trova alla riga n. 22, *questa gara ha un'importanza simbolica per tutta la città di Asti.*

7. D: la risposta si trova alla riga n. 25, *la miglior maschera e il miglior vestito riceveranno in premio la Pergamena d'Autore.*

PROVA N.2

2	5	6	8	11	13	15

Spiegazione delle risposte corrette.

2. L'informazione è presente nelle righe 2 e 3..

5. L'informazione è presente alla riga n. 7.
Bisogna significa **essere necessario.**

6. L'informazione è presente alle righe n. 12-15, dove tra i requisiti necessari sono riportate le tipologie di lauree ammesse. Non rientrano, tra questi requisiti, altri titoli di studio.
Requisito indica una condizione necessaria richiesta per un determinato scopo, **titolo.**

8. L'informazione è presente alla riga n. 16, in cui si dice che l'ultimo giorno per effettuare il pagamento è il 15 luglio. **Data di scadenza** indica la data fino alla quale è possibile, in questo caso, inviare la domanda. Spesso si usa per gli alimenti e indica la data entro la quale è possibile consumarli.

11. L'informazione è presente alla riga n. 20.

13. L'informazione è presente alla riga n. 21.
Tirocinio indica una particolare esperienza lavorativa in cui lo scopo è la formazione del tirocinante, **stage.**

15. L'informazione è presente alla riga n. 26, in cui si dice che è necessario rispettare l'obbligo di frequenza e il minimo è l'80%.
Obbligatorio, che si deve fare, imposto per legge o regolamento.
Monte ore indica il totale delle ore.

PROVA N.3

1.E	2.B	3.J	4.G	5.A	6.F	7.K	8.C	9.I	10.D	11.H

In **grassetto** sono evidenziati gli elementi che danno continuità al testo e su cui è necessario riflettere per poter capire come riordinare le frasi.

1 E. In molti paesi si festeggia "il giorno della carbonara" che rappresenta un successo mondiale tutto italiano. **Ma quali sono gli ingredienti?**

2 B. I **cinque ingredienti** fondamentali sono: il pecorino, il sale, il pepe nero, le uova e il guanciale di maiale. Ma secondo i più prestigiosi esperti c'è un altro ingrediente fondamentale.

3 J. Infatti, per ottenere una carbonara perfetta, il **sesto ingrediente** è la **qualità** dei prodotti.

4 G. Le materie prime devono essere **eccellenti** e a **km 0**, questa è la nuova parola d'ordine. Gli ingredienti devono essere comprati da agricoltori e produttori locali per garantire la genuinità del piatto.

5 A. I cuochi più rinomati comprano solo presso i loro **produttori di fiducia**. Secondo loro solo così la carbonara può rimanere un **piatto inimitabile** nel mondo.

6 F. **Nonostante** ciò, in molti paesi del mondo, questo piatto **è stato imitato**.

7 K. **Per esempio** in Spagna dove la carbonara si fa con il pesce o in Cina dove si usa il pollo al posto del maiale.

8 C. Questi **cambiamenti** alla ricetta originale **non sono apprezzati** dagli italiani residenti all'estero.

9 I. Ben tre italiani su quattro **sono delusi** dei piatti italiani serviti nei ristoranti all'estero.

10 D. La **prima ragione** per cui non piacciono sono proprio le modifiche fatte alle ricette originali.

11 H. La **seconda ragione** è la qualità stessa dei prodotti che non è la stessa che si trova in Italia. Per questo motivo quando siamo all'estero, meglio la cucina locale!

Approfondimento lessicale:

Inimitabile, che non può essere imitato, **unico.**

Il suffisso **-abile** si usa per formare gli aggettivi partendo dai verbi all'infinito in -are. Questi aggettivi indicano la possibilità dell'azione espressa dal verso, **che si può fare.**

Verbo all'infinito	Suffisso -abile	Significato	Esempio
Mangiare	Mangiabile	Che si può mangiare.	*Questa pizza non è eccezionale, è mangiabile.*
Dimenticare	Dimenticabile Indimenticabile	Che (non) si può dimenticare.	*Le scorse vacanze sono state indimenticabili.*
Applicare	Applicabile	Che si può applicare.	*Il regolamento n. 56/a è applicabile a tutti i condomini della città di Torino.*

Nonostante ha valore avversativo e introduce un'enunciazione di un fatto che avrebbe potuto o dovuto impedire qualcosa e tuttavia non l'ha impedito o non lo impedisce.

Nonostante la pioggia, Marta e Simone sono andati al mare.

(la pioggia non ha impedito a Marta e Simone di andare al mare)

Deluso participio passato del verbo deludere, significa **venire meno alle aspettative**, non essere soddisfatti.

Ragione indica un'argomentazione usata per dimostrare qualcosa o sostenere un'idea, **motivo.**

LETTURA COMPLETA 1

percorso
CILS UNO B1

LETTURA COMPLETA 2

- ## COMPRENSIONE DELLA LETTURA

  PROVA N.1

  PROVA N.2

  PROVA N.3

- ## SOLUZIONI E APPROFONDIMENTI

Leggi il testo.

I premi letterari italiani

1 Anche se in Italia si legge pochissimo - gli ultimi dati, relativi al 2016, dicono che il 57% della
2 popolazione non legge neanche un libro l'anno - nel Bel Paese sono numerosi i premi letterari
3 assegnati a opere di narrativa. I più conosciuti sono il Premio Strega, il Premio Campiello e
4 il Premio Bancarella. Le giurie, cioè le persone che decidono chi è lo scrittore migliore, sono
5 molto diverse in questi tre premi.
6 Il Premio Strega è considerato il riconoscimento letterario italiano più prestigioso, ed è con
7 tutta probabilità il più conosciuto all'estero. Può essere definito un premio di alto livello
8 culturale. Nella giuria, che assegna questo premio, ci sono 400 esperti di letteratura tra cui i
9 vincitori del Premio negli anni precedenti. Dal 2010, forse per **svecchiarne** un po' l'immagine,
10 sono ammessi in giuria anche i voti dei cosiddetti "**lettori forti**" segnalati dall'ALI (Associazione
11 Librai Italiani). Nel 1947 Goffredo Bellonci, giornalista e critico letterario e sua moglie, scrittrice,
12 hanno ideato il premio Strega. La prima opera premiata è stata *Tempo di uccidere* di Ennio
13 Flaiano, mentre quest'anno il riconoscimento è andato a Paolo Cognetti con *Le otto montagne*.
14 Un altro premio letterario molto conosciuto è il Campiello, nato in Veneto nel 1962 dall'idea
15 di un gruppo di industriali. Alla testa del Comitato Fondatori c'è Matteo Zoppas, presidente
16 di Confindustria Veneto, mentre nella giuria ci sono docenti universitari. L'obiettivo di questo
17 premio è quello di creare nuovi lettori attraverso la promozione dei libri e la loro diffusione. Il
18 primo scrittore a ricevere il Premio Campiello è stato Primo Levi con il romanzo *La Tregua*, nel
19 1963.
20 Il Premio Bancarella, infine, può essere definito come il meno prestigioso fra questi tre. I librai,
21 e non una giuria esperti di letteratura, decidono chi è il vincitore. I librai sono più vicini ai
22 lettori e conoscono meglio i loro gusti. Infatti la tipologia di vincitori è diversa rispetto agli altri
23 premi, i vincitori del Premio Bancarella sono autori meno famosi e più giovani. I loro libri sono
24 meno impegnativi: commedie, romanzi e gialli. Inoltre il Premio Bancarella si distingue dagli
25 altri due perché non premia esclusivamente autori italiani: tra i vincitori, per citare solo alcuni
26 scrittori stranieri, ci sono Elizabeth Strout, Ken Follett e John Grisham.

Completa le seguenti frasi. Scegli una delle quattro proposte di completamento che ti diamo per ogni frase. DEVI SCRIVERE LE RISPOSTE NEL 'FOGLIO DELLE RISPOSTE'.

1. **Secondo i dati relativi al 2016 è emerso che**
   a. in Italia il 57% della popolazione legge almeno un libro all'anno.
   b. in Italia il 57% della popolazione legge meno di un libro all'anno.
   c. in Italia il 57% dei libri è stato scritto nel 2016.
   d. in Italia si legge molto.

2. **Il Premio Strega è**
   a. uno dei premi più famosi all'estero.
   b. un premio per il libro più venduto.
   c. il Premio letterario più famoso.
   d. il Premio letterario più recente.

3. **Le persone che formano la giuria del Premio Strega sono**
   a. più di 400.
   b. tutti professori.
   c. 400 esperti di letteratura.
   d. 400 vincitori.

4. **Nella giuria del Premio Campiello ci sono**
   a. insegnanti.
   b. studenti universitari.
   c. imprenditori veneti.
   d. 400 esperti di letteratura.

5. **Nel premio Bancarella i librai decidono il vincitore perché**
   a. leggono molti libri.
   b. comprano un libro al mese.
   c. conoscono le preferenze dei lettori.
   d. le librerie sono vicine al centro.

6. **Gli scrittori che partecipano al premio Bancarella sono**
   a. studenti universitari.
   b. ricchi professori universitari.
   c. giovani non tanto conosciuti.
   d. i librai.

7. **La principale differenza tra il premio Bancarella e gli altri premi è**
   a. la vincita di soldi.
   b. la partecipazione esclusiva di docenti universitari.
   c. il numero di partecipanti.
   d. la partecipazione sia di autori italiani che stranieri.

LETTURA COMPLETA 2

Leggi il testo.

Come posso effettuare un reso ed ottenere il rimborso

1 L'articolo non ti piace o la taglia ordinata non è quella giusta? Procedi al reso gratuito
2 dell'articolo entro 50 giorni e, se vorrai, ordinalo nuovamente! Effettua sempre la procedura
3 di reso online. Se hai pagato in contanti alla consegna potrai scegliere il metodo di rimborso
4 desiderato, tra credito, per acquisti futuri, e bonifico bancario.
5 ACCEDI AL TUO ACCOUNT
6 Clicca su "Il mio account", seleziona la voce "Effettua un reso" poi clicca su "Procedi con la
7 restituzione". Seleziona l'ordine e gli articoli che vuoi dare indietro e indica il motivo della
8 restituzione.
9 Seleziona la modalità di rimborso tra credito per altri acquisiti o bonifico bancario, oppure il
10 rimborso potrà essere effettuato direttamente anche sulla carta di credito utilizzata per l'acquisto.
11 Scegli la modalità di spedizione del tuo pacco. Seleziona un punto di raccolta in cui consegnare
12 il pacco oppure programma un ritiro comodamente a casa tua indicando una data e un orario
13 per il ritiro.
14 PREPARA IL PACCO
15 Incolla l'etichetta di reso all'esterno del pacco.
16 Inserisci il prodotto confezionato. Gli articoli che restituisci devono essere integri e non
17 utilizzati, con etichetta e cartellino originali. Se si tratta di scarpe, la scatola deve essere quella
18 originale. Prova sempre le tue scarpe su un tappeto o una superfice pulita per non rovinarle.
19 CONSEGNA IL RESO E OTTIENI IL RIMBORSO
20 Dopo aver ricevuto e aver verificato la tua restituzione, procederemo al rimborso degli articoli
21 resi entro cinque giorni lavorativi dalla consegna al corriere. Quando riceveremo il tuo reso in
22 magazzino ti invieremo un'email di conferma.

Leggi le informazioni. Scegli le 7 informazioni presenti nel testo che hai letto.
DEVI SCRIVERE LE TUE SCELTE NEL 'FOGLIO DELLE RISPOSTE'.

1. È possibile restituire i prodotti entro 50 giorni.
2. La procedura di restituzione del prodotto si può fare solamente online.
3. La merce si paga solo in contanti.
4. Il pacco può essere spedito solo in un ufficio postale.
5. Nella procedura online è necessario spiegare la ragione della restituzione.
6. Il rimborso può essere chiesto alla propria banca.
7. È possibile ricevere il rimborso in diversi modi, tra cui: bonifico, credito per acquisiti.
8. È obbligatorio avere una carta di credito per comprare sul sito www.soldisaldi.it .
9. È possibile prenotare il ritiro del pacco presso la propria abitazione.
10. La carta del pacco non deve avere scritte colorate ma deve essere di un colore neutro.
11. Si può restituire solo un prodotto alla volta.
12. Gli articoli restituiti non devono essere usati.
13. Non è possibile restituire le scarpe.
14. Si possono fare nuovi acquisiti solo dopo cinque giorni dalla restituzione.
15. Il rimborso avviene entro cinque giorni dal ritiro della merce.

Leggi il testo. Il testo è diviso in 11 parti. Le parti non sono in ordine. Ricostruisci il testo. Scrivi il numero d'ordine accanto a ciascuna parte. DEVI SCRIVERE LE RISPOSTE NEL 'FOGLIO DELLE RISPOSTE'.

- [ ] A. Secondo questa ricerca sette persone su dieci hanno problemi ad addormentarsi e a riposare bene.
- [ ] B. La seconda causa, invece, è legata alle cattive abitudini come il consumo di cibi grassi e di alcolici a cena.
- [ ] C. Innanzitutto è necessario non fare pasti troppo abbondanti dopo le 18.00 e non fare attività sportiva dopo le 20.
- [1] D. Una ricerca europea ha studiato il sonno delle persone e ha pubblicato dati interessanti.
- [ ] E. Infatti ci sono molti medici che si occupano del riposo notturno e che possono consigliare cure precise, ed eventuali medicine, ovviamente dopo una visita specialistica.
- [ ] F. Per dimenticare completamente i problemi lavorativi è meglio spegnere il cellulare e non controllare le email di lavoro fino al mattino seguente.
- [ ] G. La prima causa dello stress è, per il 55% delle persone, legata al lavoro.
- [ ] H. In secondo luogo è consigliato bere una tisana calda e fare una doccia prima di sdraiarsi in modo da rilassarsi e dimenticare la giornata lavorativa.
- [ ] I. Seguire questi consigli potrebbe risolvere i problemi legati al sonno. Se, invece, ciò non basta è meglio rivolgersi ad un medico.
- [ ] J. I ricercatori suggeriscono alcuni rimedi allo stress e offrono alle persone alcuni consigli per dormire meglio.
- [ ] K. La causa di questi problemi è sicuramente legata allo stress.

PROVA N.1

| 1. b | 2. c | 3. c | 4. a | 5. c | 6. c | 7. d |

Spiegazione delle risposte corrette.

1.b: la risposta si trova alla riga n. 2 del testo. È importante conoscere il significato delle parole **almeno** e **neanche**.

> **Almeno**: come minimo, a dir poco.
>
> *Esempio: Maria sta aspettando Matteo da almeno un'ora. Ciò significa che Maria come minimo sta aspettando Matteo da un'ora o di più.*
>
> **Neanche**: si usa per esprimere e rafforzare la negazione espressa alla riga n. 2 del testo.
>
> *Esempio: Non leggo mai, neanche nel tempo libero. Neanche serve a rafforzare la negazione espressa da non.*

2.c: la risposta si trova alla riga n. 6 del testo.
> **Prestigioso** può essere usato come sinonimo del termine **famoso**.

3.c: la risposta si trova alla riga n. 8 del testo.

4.a: la risposta si trova alla riga n.16 del testo.
> **Docente** è sinonimo di insegnante, professore, persona responsabile dell'insegnamento.

5.c: la risposta si trova alle righe 22 e 23.
> I **librai**, persone che vendono i libri, conoscono meglio i gusti, o le preferenze, dei lettori.

6.c: la risposta si trova alle righe 25 e 26.
> I vincitori sono autori meno famosi, quindi non tanto conosciuti, e giovani.

7.d: la risposta si trova alla riga n. 26.
> Non sono premiati esclusivamente autori italiani, significa che sono premiati anche autori stranieri.
> L'avverbio **esclusivamente** attribuisce diritti solo ad una categoria di persone, significa **unicamente, solamente, soltanto.**

PROVA N.2

1	2	5	7	9	12	15

Spiegazione delle risposte corrette.

1. L'informazione è presente alla riga n. 2 del testo.
Entro, usato con valore temporale assume il significato di **non più tardi di...**

2. L'informazione è presente alle righe n. 2 e 3 del testo, in cui si dice che la procedura di reso deve sempre essere effettuata online.
Solamente, solo in questo modo, **unicamente.**

5. L'informazione è presenta alle righe n. 7 e 8 del testo, in cui si dice di indicare il motivo della restituzione.

7. L'informazione è presente alle righe n. 9-10, in cui vengono elencate le diverse modalità di rimborso.

9. L'informazione è presente alla riga n. 12, in cui si dice che è possibile richiedere il ritiro a casa propria.

12. L'informazione è presente alle righe n. 16 e 17, in cui si dice che gli articoli non devono essere utilizzati.
Integro, significa che non ha subito danni o modifiche e quindi è **intatto.**

15. L'informazione è presente alla riga n. 22, in cui si dice che il rimborso verrà effettuato entro 5 giorni dalla consegne della merce al corriere.

PROVA N.3

1.D	2.A	3.K	4.G	5.B	6.J	7.C	8.H	9.F	10.I	11.E

In **grassetto** sono evidenziati gli elementi che danno continuità al testo e su cui è necessario riflettere, per poter capire come riordinare le frasi.

1 D. **Una ricerca europea** ha studiato il sonno delle persone e ha pubblicato dati interessanti.

2 A. **Secondo questa ricerca** sette persone su dieci hanno **problemi** ad addormentarsi e a riposare bene.

3 K. La **causa** di questi **problemi** è sicuramente legata allo stress.

4 G. La **prima causa** dello stress è, per il 55% delle persone, legato al lavoro.

5 B. La **seconda causa**, invece, è legata alle cattive abitudini come il consumo di cibi grassi e di alcolici a cena.

6 J. I ricercatori suggeriscono alcuni **rimedi allo stress** e offrono alle persone alcuni consigli per dormire meglio.

7 C. **Innanzitutto** è necessario non fare pasti troppo abbondanti dopo le 18.00 e non fare attività sportiva dopo le 20.

8 H. **In secondo luogo** è consigliato bere una tisana calda e fare una doccia prima di sdraiarsi in modo da rilassarsi e **dimenticare la giornata lavorativa.**

9 F. **Per dimenticare completamente i problemi lavorativi** è meglio spegnere il cellulare e non controllare le email di lavoro fino al mattino seguente.

10 I. **Seguire questi consigli** potrebbe risolvere i problemi legati al sonno. Se, invece, ciò non basta è meglio **rivolgersi ad un medico.**

11 E. Infatti **ci sono molti medici** che si occupano del riposo notturno e che possono consigliare cure precise, ed eventuali medicine, ovviamente dopo una visita specialistica.

Approfondimento lessicale:

Innanzitutto, in un elenco introduce il primo elemento di una serie, **in primo luogo, per prima cosa, prima di tutto.**

In secondo luogo, in un elenco indica il secondo elemento di una serie, **in un secondo momento.**

Rivolgersi, significa interpellare qualcuno a cui chiedere informazioni.

LETTURA COMPLETA 2

ANALISI COMPLETA 1

- **ANALISI DELLE STRUTTURE DI COMUNICAZIONE**

  PROVA N.1

  PROVA N.2

  PROVA N.3

  PROVA N.4

- **SOLUZIONI E APPROFONDIMENTI**

Completa il testo con gli articoli e le preposizioni semplice e articolate: utilizza le preposizioni fra parentesi. DEVI SCRIVERE LE RISPOSTE NEL 'FOGLIO DELLE RISPOSTE'.

Le bandiere blu <u>in</u> $_0$ Italia

Com'è possibile individuare le migliori spiagge italiane?

Facile, basta cercare le bandiere blu!

(In) $_1$ _____ 2017 hanno ottenuto questa bandiera più di 340 spiagge. Le regioni con$_2$ _____ numero più alto di spiagge premiate sono state la Liguria, con 27 località, e la Toscana, con 19. Questo riconoscimento lo possono ottenere anche località che non si affacciano sul mare, infatti anche il Trentino Alto Aldige, il Piemonte e la Lombardia lo hanno ottenuto per$_3$ _____ loro laghi.

$_4$ _____ Fondazione per l'educazione ambientale (FEE) è $_5$ _____ organizzazione internazionale non governativa e non-profit, nata (in) $_6$ _____ anni Ottanta (in) $_7$ _____ Danimarca, in collaborazione con altri enti e associazioni decide a chi assegnare le bandiere. Questa decisione segue criteri specifici, tra questi ci sono: la qualità delle acque, la gestione ambientale, $_8$ _____ servizi e la sicurezza. $_9$ _____ attività della FEE Italia sono regolate da specifiche norme ISO.

L'assegnazione (di)$_{10}$ _____ bandiera è valida solo per un anno e può essere rimossa (da)$_{11}$ _____ FEE in qualsiasi momento. (Da) $_{12}$ _____ 2016 (a) $_{13}$ _____ 2017 in Italia sono state ritirate due bandiere in quanto la qualità delle acque e i servizi offerti non erano più sufficienti.

_____ $_{14}$ obiettivo di questa iniziativa mondiale è quello di sensibilizzare _____ $_{15}$ persone verso i temi della sostenibilità e dell'ambiente. Fortunatamente il numero delle bandiere è (in) $_{16}$ _____ aumento in Italia e questo significa che le persone rispettano sempre più _____ $_{17}$ leggi sulla protezione ambientale. Anche se con numeri diversi da nord a sud c'è stato un aumento di iniziative comunali legate (a) _____ $_{18}$ promozione e al rispetto del territorio.

Nei prossimi anni, probabilmente, queste iniziative saranno più numerose e _____ $_{19}$ comuni e le regioni cominceranno (a) _____ $_{20}$ pensare ad altre attività da proporre ai turisti.

Completa il testo con le forme dei verbi che sono tra parentesi. DEVI SCRIVERE LE RISPOSTE NEL 'FOGLIO DELLE RISPOSTE'.

Un freddo siberiano

Ieri mattina, quando **0.** *mi sono svegliata*, ho sentito la tv accesa e le previsioni meteo che avvisavano dell'arrivo di un'ondata di gelo proveniente dalla Siberia. **1. (Alzarsi)** _____ e **2. (andare)** _____ in soggiorno dove mio marito **3. (fare)** _____ colazione con un buon caffè, pane e marmellata. Io, in piedi e assonnata, ho guardato fuori dalla finestra e **4. (pensare)** _____ : "**5. (essere)** _____ una giornata molto lunga". All'una e mezza **6. (dovere)** _____ prendere il treno per Firenze e avevo il terrore di una possibile cancellazione, cosa che spesso **7. (accadere)** _____ con i treni italiani. Nonostante la neve e la temperatura sotto zero, fortunatamente, il treno **8. (partire)** _____ in orario. Di solito per andare da Torino a Firenze **9. (volerci)** _____ 2 ore e 45 minuti noi, ieri, **10. (noi-metterci)** _____ 4 ore e 45 minuti perché a 50 km da Firenze il treno **11. (fermarsi)** _____ in una galleria per motivi tecnici e oltretutto senza il riscaldamento e con le luci spente. Quando **12. (arrivare)** _____, stanchi e infreddoliti, a Firenze tutti noi avevamo ormai perso le coincidenze per le nostre destinazioni finali così, con tanta pazienza, **13. (aspettare)** _____ altro tempo al freddo i treni successivi. Dopo 7 ore di viaggio sono arrivata a Siena e adesso, mentre **14. (bere)** _____ la mia cioccolata calda, penso: "Quanto **15. (volere)** _____ l'estate!".

Completa il testo. Scegli una delle proposte di completamento.
DEVI SCRIVERE LE RISPOSTE NEL 'FOGLIO DELLE RISPOSTE'.

La giornata $_0$ mondiale del libro

Il 23 aprile è la giornata mondiale del libro che festeggia l'importanza della lettura e il suo eterno _____ $_1$.

Durante questa giornata i _____ $_2$ assoluti della cultura organizzano _____ $_3$, spettacoli ed eventi per mettere in contatto gli autori e gli editori con i lettori.

Questa ricorrenza è nata nel 1996 per _____ $_4$ dell'UNESCO con l'obiettivo di promuovere il progresso culturale , mantenere vivo l'interesse per la lettura e _____ $_5$ i più piccoli a questo mondo.
La scelta del 23 aprile non è stata casuale, coincide infatti con la morte di tre grandi scrittori. Nonostante questa strana coincidenza, questa festa esisteva già in Spagna all'inizio del ventesimo _____ $_6$.

L'Italia, _____ $_7$ con una cultura ricca, partecipa attivamente a questa iniziativa. Sono tante le città italiane che ospitano diverse _____ $_8$ legate al mondo della scrittura. Da Torino a Roma, in molte piazze ci sono librerie a cielo a aperto e scrittori che incontrano i loro fan e firmano _____ $_9$. Anche per i più piccoli ci sono attività di avvicinamento alla lettura e ai libri con animatori che attraverso _____ $_{10}$ e immagini aiutano i bambini a scoprire le favole classiche. Anche se la _____ $_{11}$ è cambiata negli ultimi decenni ci sono alcune storie che rimangono le preferite di grandi e piccoli. I personaggi più _____ $_{12}$ non sono cambiati negli anni, ci sono infatti: principesse, principi azzurri, animali parlanti e draghi volanti.

Le stesse _____ $_{13}$ italiane, sia elementari che medie, sono ispirate da questa giornata e propongono ai loro _____ $_{14}$ concorsi letterari con premi interessanti. Una scuola genovese ha infati premiato una _____ $_{15}$ intera di prima media, particolarmente meritevole, con la partecipazione ad una conferenza sulla lettura in pubblico.

0.	a) **giornata**	b) *festività*	c) *settimana*	d) *ricorrenza*
1.	a) merito	b) risultato	c) successo	d) esito
2.	a) personaggi	b) protagonisti	c) signori	d) professori
3.	a) colloqui	b) riunioni	c) discorsi	d) conferenze
4.	a) volontà	b) lavoro	c) colpa	d) domanda
5.	a) chiamare	b) domandare	c) avvicinare	d) vedere
6.	a) giorno	b) anno	c) biennio	d) secolo
7.	a) città	b) paese	c) continente	d) regione
8.	a) manifestazioni	b) serate	c) settimane	d) vacanze
9.	a) fogli	b) libri	c) lettere	d) documenti
10.	a) sport	b) esercizi	c) compiti	d) giochi
11.	a) scuola	b) popolazione	c) società	d) città
12.	a) piaciuti	b) desiderati	c) ricercati	d) amati
13.	a) scuole	b) università	c) istituzioni	d) leggi
14.	a) impiegati	b) studenti	c) adulti	d) ragazzi
15.	a) scuola	b) ragazza	c) classe	d) stanza

Scegli per ogni espressione una delle quattro situazioni di comunicazione.
DEVI SCRIVERE LE RISPOSTE NEL 'FOGLIO DELLE RISPOSTE'.

1. **Il volo AZ1430 con destinazione Roma Fiumicino partirà con un ritardo di 60 minuti, ci scusiamo per il disagio.**
    a. Sull'aereo l'assistente di volo si scusa del ritardo.
    b. Telefoni ad un tuo amico e gli comunichi che il tuo aereo partirà con un ritardo di 60 minuti.
    c. In aeroporto un annuncio avvisa del ritardo di un volo.
    d. In aeroporto un passeggero si lamenta del ritardo del volo.

2. **Buongiorno, vorrei una cioccolata calda con panna, grazie!**
    a. Al bar ordini una cioccolata.
    b. In un negozio di dolci compri del cioccolato.
    c. Dici ad una tua amica di ordinarti una cioccolata calda.
    d. A casa chiedi a tua mamma di prepararti una cioccolata calda.

3. **Buonasera Signora Silvana, le chiedo scusa per il disturbo ma ho finito le uova e devo preparare una frittata. Può prestarmi due uova?**
    a. Al supermercato chiedi alla commessa due uova.
    b. A casa chiedi alla tua vicina due uova in prestito.
    c. Al ristorante ordini una frittata.
    d. Al ristorante chiedi due uova e una frittata alla cameriera.

4. **Mi scusi Signora può abbassare il tono della voce, in questo vagone è vietato usare il cellulare.**
    a. Al cinema chiedi ad una Signora di non parlare al telefono.
    b. Ti lamenti del tono di voce della signora seduta accanto a te sull'autobus.
    c. In treno chiedi ad una Signora di abbassare la voce.
    d. In treno chiedi al controllore se è vietato parlare al telefono.

5. **Buongiorno, ho un terribile mal di testa, mi può dare delle compresse?**
    a. Vai dal dottore perché hai mal di testa.
    b. Chiedi ad un tuo amico una compressa per il mal di testa.
    c. In ospedale chiedi delle medicine per il mal di testa.
    d. In farmacia chiedi delle compresse per il mal di testa.

6. **Salve, vorrei cambiare questi pantaloni che mi hanno regalato. Sono della taglia sbagliata. Avete la 42?**
    a. In un negozio compri un paio di pantaloni da regalare a tuo fratello.
    b. In un negozio provi un paio di pantaloni ma sono troppo piccoli.
    c. In un negozio cambi un regalo perché della taglia sbagliata.
    d. A casa parli con un tuo amico dei pantaloni che ti hanno regalato.

7. **Congratulazioni Dottoressa per il tuo 110 e lode! Auguri per la tua brillante carriera lavorativa futura!**
   a. Scrivi un SMS ad una tua amica per fargli gli auguri per il suo nuovo lavoro.
   b. Scrivi un biglietto di auguri ad una tua amica che si è laureata.
   c. Fai gli auguri di buon compleanno alla tua dottoressa.
   d. Scrivi un SMS a tua mamma e le dici che ti sei laureata con 110 e lode.

8. **Versare l'impasto nella tortiera e cuocere a 160° in forno ventilato per 45 minuti.**
   a. Chiedi a tua nonna una ricetta della tua torta preferita.
   b. Sono le istruzioni che segui per fare una torta.
   c. Ricordi a tua mamma come cuocere la torta che ti piace.
   d. Ordini una torta in pasticceria.

9. **Libero da subito appartamento in affitto al settimo piano di un palazzo d'epoca in zona università. Solo privati. Per informazioni chiamare Maria 326-9988765.**
   a. Scrivi un annuncio in cui cerchi un appartamento in affitto vicino all'università.
   b. Leggi in un'agenzia immobiliare l'annuncio di un appartamento in vendita.
   c. Leggi un annuncio di una signora che vuole affittare un appartamento.
   d. Leggi un annuncio all'università di una ragazza che cerca una coinquilina.

10. **Che bella borsa! Dove l'hai comprata?**
   a. Chiedi ad una tua amica di accompagnarti a comprare una borsa.
   b. Chiedi alla commessa di un negozio di farti vedere la borsa in vetrina.
   c. Fai i complimenti ad una tua amica per la sua nuova borsa.
   d. Chiedi alla tua coinquilina di prestarti una borsa.

PROVA N.1

Le bandiere blu in$_0$ Italia

1.Nel	2.il	3.i	4.La	5.un'	6.Negli	7.in	8.i	9.Le	10.della
11.dalla	12.dal	13.al	14.L'	15.le	16.in	17.le	18.alla	19.i	20.a

Com'è possibile individuare le migliori spiagge italiane?

Facile, basta cercare le bandiere blu!

Nel$_1$ 2017 hanno ottenuto questa bandiera più di 340 spiagge. Le regioni con **il**$_2$ numero più alto di spiagge premiate sono state la Liguria, con 27 località, e la Toscana, con 19. Questo riconoscimento lo possono ottenere anche località che non si affacciano sul mare, infatti anche il Trentino Alto Adige, il Piemonte e la Lombardia lo hanno ottenuto per **i**$_3$ loro laghi.

La$_4$ Fondazione per l'educazione ambientale (FEE) è **un'**$_5$ organizzazione internazionale non governativa e non-profit, nata **negli**$_6$ anni Ottanta **in**$_7$ Danimarca, in collaborazione con altri enti e associazioni decide a chi assegnare le bandiere. Questa decisione segue criteri specifici, tra questi ci sono: la qualità delle acque, la gestione ambientale, **i**$_8$ servizi e la sicurezza. **Le**$_9$ attività della FEE Italia sono regolate da specifiche norme ISO.

L'assegnazione **della**$_{10}$ bandiera è valida solo per un anno e può essere rimossa **dalla**$_{11}$ FEE in qualsiasi momento. **Dal**$_{12}$ 2016 **al**$_{13}$ 2017 in Italia sono state ritirate due bandiere in quanto la qualità delle acque i servizi offerti non erano più sufficienti.

L'$_{14}$ obiettivo di questa iniziativa mondiale è quello di sensibilizzare **le**$_{15}$ persone verso i temi della sostenibilità e dell'ambiente. Fortunatamente il numero delle bandiere è **in**$_{16}$ aumento in Italia e questo significa che le persone rispettano sempre più **le**$_{17}$ leggi sulla protezione ambientale. Anche se con numeri diversi da nord a sud c'è stato un aumento di iniziative comunali legate **alla**$_{18}$ promozione e al rispetto del territorio.

Nei prossimi anni, probabilmente, queste iniziative saranno più numerose e **i**$_{19}$ comuni e le regioni cominceranno **a**$_{20}$ pensare ad altre attività da proporre ai turisti.

APPROFONDIMENTI

I nomi che terminano in **-e** possono essere sia maschili che femminili. Per scegliere l'articolo corretto è quindi necessario conoscere il genere del nome o eventualmente guardare gli aggettivi che lo seguono e che concordano in genere e numero.

	-e	
Sostantivi maschili o femminili	Sing.	Plur.
	-e	-i

Lo stesso problema, per l'individuazione del genere, riguarda gli aggettivi in **-e**.

Le preposizioni semplici e articolate non hanno molte regole. Quindi è utile fissare le poche regole applicabili:

- Nel + anno. *Nel 2017.*

- In + paese. *In Italia, in Francia, in Cina...*
- Da... a... , con valore **temporale,** si usa per indicare un intervallo di tempo, *dal 2016 al 2017.*
- Da... a... , con valore **locativo,** si usa per indicare uno spazio compreso tra due punti, *da nord a Sud, da Milano a Torino.*

Ci sono poi alcune costruzioni verbali fisse, che non cambiano:

- Cominciare / iniziare **a + verbo all'infinito;**
- Concludere / finire **di + verbo all'infinito.**

PROVA N.2

Un freddo siberiano

Ieri mattina, quando **0.** *mi sono svegliata*, ho sentito la tv accesa e le previsioni meteo che avvisavano dell'arrivo di un'ondata di gelo proveniente dalla Siberia. **1. (Alzarsi)** mi sono alzata e **2. (andare)** sono andata in soggiorno dove mio marito **3. (fare)** faceva colazione con un buon caffè, pane e marmellata. Io, in piedi e assonnata, ho guardato fuori dalla finestra e **4. (pensare)** ho pensato: "**5. (essere)** Sarà una giornata molto lunga". All'una e mezza **6. (dovere)** dovevo prendere il treno per Firenze e avevo il terrore di una possibile cancellazione, cosa che spesso **7. (accadere)** accade con i treni italiani. Nonostante la neve e la temperatura sotto zero, fortunatamente, il treno **8. (partire)** è partito in orario. Di solito per andare da Torino a Firenze **9. (volerci)** ci vogliono 2 ore e 45 minuti noi, ieri, **10. (noi-metterci)** ci abbiamo messo 4ore e 45 minuti perché a 50 km da Firenze il treno **11. (fermarsi)** si è fermato in una galleria per motivi tecnici e oltretutto senza il riscaldamento e con le luci spente. Quando **12. (arrivare)** siamo arrivati, stanchi e infreddoliti, a Firenze tutti noi avevamo ormai perso le coincidenze per le nostre destinazioni finali così, con tanta pazienza, **13. (aspettare)** abbiamo aspettato altro tempo al freddo i treni successivi. Dopo 7 ore di viaggio sono arrivata a Siena e adesso, mentre **14. (bere)** bevo la mia cioccolata calda, penso: "Quanto **15. (volere)** vorrei l'estate!".

APPROFONDIMENTI

- I verbi riflessivi, come **svegliarsi** e **alzarsi**, formano sempre i tempi composti con il verbo essere. È importante ricordare di concordare il participio passato con il numero (singolare e plurale) e il genere (maschile e femminile) del soggetto.
- Il verbo all'imperfetto (verbo n. 3) indica un'azione in corso di svolgimento nel passato e quindi non ancora conclusa, abituale o indefinita.
- Il verbo al futuro semplice, o presente indicativo, (verbo n. 5) indica una previsione.
  Domani ho tante riunioni programmate, la sera sarò stanchissima.
- I tre verbi modali: potere, dovere e volere, hanno un significato diverso se usati al passato prossimo o all'imperfetto:
  - ○ Quando sono usati al passato prossimo indicano che l'azione è sicuramente accaduta.
    Esempio: Ieri il Dott. Rossi ha dovuto lavorare fino alle 21 (ha sicuramente lavorato fino alle 21).
  - ○ Quando sono usati all'imperfetto indicano un'incertezza, è necessario specificare qualcosa successivamente per capire l'informazione.
    Esempio: Ieri il Dott. Rossi doveva andare a Milano per un incontro (non è possibile sapere se sia andato, o meno, a Milano).
- Il verbo al condizionale (verbo n. 15) indica un desiderio.
  Esempio: Quanto vorrei un gelato! (quanto desidero un gelato).

PROVA N.3

1.C	2.B	3.D	4.A	5.C	6.D	7.B	8.A	9.B	10.D	11.C	12.D	13.A	14.B	15.C

La giornata[0] mondiale del libro

Il 23 aprile è la giornata mondiale del libro che festeggia l'importanza della lettura e il suo eterno successo[1]. Durante questa giornata i protagonisti[2] assoluti della cultura organizzano conferenze[3], spettacoli ed eventi per mettere in contatto gli autori e gli editori con i lettori.

Questa ricorrenza è nata nel 1996 per volontà[4] dell'UNESCO con l'obiettivo di promuovere il progresso culturale , mantenere vivo l'interesse per la lettura e avvicinare[5] i più piccoli a questo mondo.

La scelta del 23 aprile non è stata casuale, coincide infatti con la morte di tre grandi scrittori. Nonostante questa strana coincidenza, questa festa esisteva già in Spagna all'inizio del ventesimo secolo[6].

L'Italia, paese[7] con una cultura ricca, partecipa attivamente a questa iniziativa. Sono tante le città italiane che ospitano diverse manifestazioni[8] legate al mondo della scrittura. Da Torino a Roma, in molte piazze ci sono librerie a cielo a aperto e scrittori che incontrano i loro fan e firmano libri[9]. Anche per i più piccoli ci sono attività di avvicinamento alla lettura e ai libri con animatori che attraverso giochi[10] e immagini aiutano i bambini a scoprire le favole classiche. Anche se la società[11] è cambiata negli ultimi decenni ci sono alcune storie che rimangono le preferite di grandi e piccoli. I personaggi più amati[12] non sono cambiati negli anni, ci sono infatti: principesse, principi azzurri, animali parlanti e draghi volanti.

Le stesse scuole[13] italiane, sia elementari che medie, sono ispirate da questa giornata e propongono ai loro studenti[14] concorsi letterari con premi interessanti. Una scuola genovese ha infati premiato una classe[15] intera di prima media, particolarmente meritevole, con la partecipazione ad una conferenza sulla lettura in pubblico.

PROVA N.4

1. C	2.A	3.B	4.C	5.D	6.C	7.B	8.B	9.C	10.C

Situazioni comunicative

1. C: annuncio informativo pubblico.
2. A: richiesta formale in un locale pubblico, bar.
3. B: richiesta formale.
4. C: richiesta formale, in treno, ad una persona estranea.
5. D: richiesta formale in un negozio, farmacia.
6. C: richiesta formale in un negozio di abbigliamento.
7. B: augurio informale. La parola **Dottoressa** è usato perché indica il titolo conseguito con la laurea.
8. B: istruzioni/indicazioni da seguire per la preparazione di una torta, ricetta culinaria.
9. C: annuncio immobiliare tra privati.
10. C: richiesta informale, tra amici, di informazioni.

Gli elementi che distinguono una richiesta formale da una informale sono:

- l'uso di appellativi o titoli davanti al nome, come signore, dottore, ingegnere... ;
- l'uso dei verbi alla terza persona singolare;
- l'uso dei pronomi diretti e indiretti alla terza persona, La e Le, non sempre scritti con la prima lettera maiuscola.

ANALISI COMPLETA 2

- **ANALISI DELLE STRUTTURE DI COMUNICAZIONE**

  PROVA N.1

  PROVA N.2

  PROVA N.3

  PROVA N.4

- **SOLUZIONI E APPROFONDIMENTI**

Completa il testo con gli articoli e le preposizioni semplice e articolate: utilizza le preposizioni fra parentesi. **DEVI SCRIVERE LE RISPOSTE NEL 'FOGLIO DELLE RISPOSTE'.**

Alba e $\underline{la}_1$ fiera del tartufo

Alba, anche quest'anno, sarà meta di numerosi turisti e appassionati di buon cibo.

Arriva$_2$ _____ autunno e (in) $_3$ _____ Piemonte il tartufo è protagonista indiscusso. Così fino (a)$_4$ _____ 26 novembre Alba, capoluogo delle Langhe, ospiterà$_5$ _____ Fiera Internazionale del Tartufo Bianco.$_6$ _____ manifestazione è arrivata (a)$_7$ _____ sua ottantasettesima edizione ed è la più importante in Piemonte, attirando ogni anno circa 600.000 mila visitatori (su)$_8$ _____ territorio piemontese.

Durante $_9$ _____ otto settimane della Fiera, il tartufo sarà al centro di un ricchissimo programma di eventi che comprenderanno mostre, *show cooking*, enogastronomia ed incontri culturali di vario genere, dedicati quest'anno soprattutto(a)$_{10}$ _____ tema del *design*.

Cuore della fiera, ogni sabato e domenica, sarà$_{11}$ _____ *Mercato Mondiale del Tartufo Bianco d'Alba*, allestito (a)$_{12}$ _____ interno del *Cortile della Maddalena*. In questo cortile sarà possibile conoscere e sperimentare il tartufo piemontese, considerato (da)$_{13}$ _____ 1700 un cibo (tra)$_{14}$ _____ più buoni in Europa.

$_{15}$ _____ momento enogastronomico più esclusivo sarà quello delle *Ultimate Truffle Dinner*, cene esclusive in cui il tartufo sarà abbinato con elementi unici della cucina internazionale come$_{16}$ _____ pesce e$_{17}$ _____ vino. Le cene saranno$_{18}$ _____ 25 ottobre presso il *Guido Ristorante* (di)$_{19}$ _____ cuoco Ugo Alciati. Ulteriori informazioni sono (su)$_{20}$ _____ sito Internet: http://www.fieradeltartufo.org/.

Completa il testo con le forme dei verbi che sono tra parentesi. DEVI SCRIVERE LE RISPOSTE NEL 'FOGLIO DELLE RISPOSTE'.

Sedici giorni di olimpiadi

La ventesima edizione dei Giochi olimpici invernali **0. (esserci)** _c'è stata_ a Torino dal 10 al 26 febbraio 2006. Queste olimpiadi **1. (cambiare)** _____ sia la città di Torino che noi torinesi anche se la durata **2. (essere)** _____ di soli sedici giorni.

Prima di questo evento la città di Torino **3. (essere)** _____ semplicemente "la città dell'auto", grigia, statica, apatica.

1,8 miliardi di persone in tutto il mondo **4. (seguire)** _____ la cerimonia di apertura che **5. (essere)** _____ in assoluto il programma televisivo più visto del 2006! L'atmosfera che **6. (esserci)** _____ in quei giorni nelle vie di Torino **7. (essere)** _____ unica: noi torinesi **8. (essere)** _____ davvero al centro del mondo…

Uno degli aspetti più emozionanti delle Olimpiadi **9. (essere)** _____ il modo in cui i torinesi **10. (rispondere)** _____ all'invito di partecipare attivamente ai giochi: ben quarantamila cittadini **11. (offrirsi)** _____ volontari per l'organizzazione delle cerimonie di apertura e chiusura e per l'accoglienza degli atleti da tutto il mondo. Il Comune di Torino **12. (decidere)** _____ inoltre di chiudere le scuole, per **13. (permettere)** _____ anche ai giovani e ai giovanissimi di partecipare, in particolare ai bellissimi spettacoli che **14. (caratterizzare)** _____ le due cerimonie.

Da non dimenticare i IX Giochi paralimpici invernali, che **15. (svolgersi)** _____ sempre a Torino, dal 10 al 19 marzo.

Dopo queste Olimpiadi Invernali la città di Torino **16. (cambiare)** _____. La ventata di internazionalità vissuta in quei giorni **17. (lasciare)** _____ il segno. Oggi, davanti a numerosi musei **18. (esserci)** _____ la coda. Un consiglio a tutti i turisti: quando **19. (volere)** _____ visitare il Museo Egizio o la Mole Antonelliana **20. (fare)** _____ meglio a portarvi un libro da leggere!

Arrivederci a Torino!

Completa il testo. Scegli una delle proposte di completamento.
DEVI SCRIVERE LE RISPOSTE NEL 'FOGLIO DELLE RISPOSTE'.

La scuola italiana per un <u>adolescente</u>$_0$

La scuola è quell'istituzione che attraverso insegnanti _____ $_1$ forma bambini e ragazzi sin dalla giovane età. La scuola nel tempo è cambiata moltissimo, ora ci sono scuole private e _____ $_2$ scuole di ogni indirizzo, scuole per tutti, gli insegnanti si sono anch'essi evoluti, non danno più bacchettate sulle mani, schiaffi, _____ $_3$ umilianti, ora gli insegnanti sono pazienti, sopportano le classi più maleducate e irrispettose.

Forse però questa è una descrizione un po' semplificata ed esasperata positivamente dell' _____ $_4$ sicuramente positiva che le scuole hanno avuto; è vero oggi si tengono conto di lacrime, problemi _____ $_5$ problemi di apprendimento e di ogni 'capriccio' dei ragazzi, questo secondo le regole sulla scuola, ma pochi sono gli insegnanti che in queste regole vedono il rispetto delle persone con cui condividono diverse ore della loro _____ $_6$ pochi sono quelli che non vedono tutto come una scocciatura.

Sciocco sarebbe dire che non si tiene conto del _____ $_7$ degli studenti, vero è che questi ultimi hanno sempre da lamentarsi, vero anche che molti insegnanti non hanno colto il loro importantissimo e complicatissimo mestiere.

I _____ $_8$ scolastici agiscono su un periodo estremamente fragile degli studenti e l'errore che spesso fanno è non rendersene conto, non si possono attribuire le difficoltà di un adolescente solo all'età ma si devono fare _____ $_9$ c'è chi si diverte a massacrare i ragazzi come un carceriere fa con un prigioniero, umiliando e soprattutto non tenendo in minima considerazione il fatto che ogni individuo è diverso da un altro; parallelamente ci sono quegli insegnanti che mettono _____ $_{10}$ amore e cura in quello che fanno, quelli che trasmettono dei valori e ti fanno crescere in maniera differente.

La più grande differenza tra docenti e _____ $_{11}$ consiste nel potere di _____ $_{12}$ l'allievo non ha sempre questa opportunità. Infatti, a volte per rispetto e a volte per il voto di condotta non si può permettere questa _____ $_{13}$ senza pagarne le conseguenze.

La scuola deve essere lo sguardo sul _____ $_{14}$ una panoramica sulla cultura e sulle relazioni _____ $_{15}$ deve essere l'opportunità per crescere, per formarsi ed anche per mettersi alla prova nella società e nel proprio ambiente.

0.	a) *laureato*	b) **adolescente**	c) *infanzia*	d) *straniero*
1.	a) competenti	b) studiosi	c) incapaci	d) competitivi
2.	a) pubblici	b) pubbliche	c) pubblicate	d) pubblicitarie
3.	a) pene	b) punizioni	c) compiti	d) obblighi
4.	a) miglioramento	b) cambiamento	c) evoluzione	d) involuzione
5.	a) scientifici	b) matematici	c) sportivi	d) familiari
6.	a) giornata	b) serata	c) nottata	d) giorno
7.	a) sensibilità	b) emozioni	c) idea	d) parere
8.	a) maestri	b) docenti	c) allenatori	d) formatori
9.	a) distinte	b) distinzioni	c) differenti	d) differenziali
10.	a) sentimentale	b) amore	c) passione	d) apatia
11.	a) studi	b) studiati	c) studiosi	d) studenti
12.	a) tacere	b) ribattere	c) chiacchierare	d) litigare
13.	a) libertario	b) libertino	c) libertà	d) illiberalità
14.	a) mondo	b) universo	c) spazio	d) città
15.	a) sociali	b) socievoli	c) societari	d) socializzabili

Scegli per ogni espressione una delle quattro situazioni di comunicazione.
DEVI SCRIVERE LE RISPOSTE NEL 'FOGLIO DELLE RISPOSTE'.

1. **Ciao, grazie dell'invito ma stasera a cena ho già un impegno. Possiamo fare domani sera?**
   a. È un messaggio in cui annulli un appuntamento medico.
   b. È un messaggio in cui accetti di uscire a cena.
   c. È un messaggio che invii a tua madre per dirle che farai tardi a cena.
   d. È un messaggio in cui rifiuti, gentilmente, un invito a cena.

2. **Scusi, può portarci dell'olio per favore?**
   a. In un supermercato chiedete dov'è l'olio.
   b. A casa di amici chiedete dell'olio per l'insalata.
   c. In un ristorante chiedete l'olio per l'insalata.
   d. In pizzeria vi lamentate perché c'è troppo olio nell'insalata.

3. **Buongiorno. Vorrei sapere se c'è un corso di yoga in pausa pranzo.**
   a. Il Sig. Rossi chiede informazioni per iscriversi in palestra ad un corso di yoga.
   b. Il Sig. Rossi chiede ad un passante dove si trova la palestra.
   c. Il Sig. Rossi chiede ad un passante se la palestra è aperta in pausa pranzo .
   d. Il Sig. Rossi chiede ad un suo amico se gli piace lo yoga.

4. **Pronto. È possibile prenotare un tavolo per due persone per le ore 21?**
   a. Chiami in un ristorante per riservare un tavolo per due.
   b. Chiami in un albergo per prenotare una camera per due.
   c. Chiami un tuo amico e lo inviti a cena.
   d. Chiami in un ristorante e cancelli la prenotazione per due.

5. **Offro posto letto in camera doppia. Zona adiacente all' università. Libera da settembre. Chiamare Antonio al 346-8976542.**
   a. Un ragazzo chiede ad un'agenzia immobiliare una camera vicino all'università.
   b. Un'agenzia immobiliare pubblica un annuncio in cui offre un posto letto in camera doppia.
   c. Un ragazzo cerca un coinquilino con cui dividere una camera doppia.
   d. Un ragazzo pubblica un annuncio per cercare una camera in affitto.

6. **Per me un caffè e un cornetto. Grazie.**
   a. In un supermercato compri un pacco di cornetti e uno di caffè.
   b. A casa chiedi alla tua amica se ci sono cornetti e caffè.
   c. All'università chiedi ad un'amica se vuole fare colazione con te.
   d. Al bar ordini la colazione.

ANALISI COMPLETA 2

7. Si avvisano i viaggiatori che oggi 28 febbraio, a causa del ghiaccio e del maltempo, i treni potrebbero essere in ritardo. Ulteriori informazioni in seguito.

    a. Alla stazione il capotreno avvisa i passeggeri che il loro treno è in ritardo.

    b. Alla stazione un messaggio avvisa i viaggiatori di possibili ritardi .

    c. Alla stazione un messaggio avvisa che sui treni potrebbe fare freddo.

    d. Alla stazione un passante ti dice che il tuo treno è in ritardo a causa del ghiaccio e della neve.

8. Se vuoi superare l'esame di economia dovresti comprare il nuovo libro del Prof.re Valle. Io l'ho studiato e ho superato l'esame!

    a. In libreria un commesso ti consiglia di comprare il nuovo libro del Prof.re Valle.

    b. Un amico ti consiglia cosa studiare per superare l'esame.

    c. Il prof.re Valle ti suggerisce di comprare il suo libro.

    d. Un amico ti chiede in prestito il nuovo libro del Prof.re Valle.

9. La maglia mi piace ma purtroppo questa taglia è piccola per me. Ne avrebbe una più grande da provare?

    a. In un negozio di abbigliamento chiedi alla commessa una taglia diversa da provare.

    b. In un negozio di abbigliamento chiedi di cambiare la maglia che hai comprato perché non ti piace il modello.

    c. In un negozio di abbigliamento chiedi ad una tua amica di prenderti una taglia più grande.

    d. In un negozio di abbigliamento la commessa ti dice che la maglia ti sta piccola.

10. Scusa, dov'è la biblioteca della facoltà di lettere?

    a. All'università chiedi al receptionist se la biblioteca di lettere è aperta.

    b. All'università il professore di letteratura vi consiglia di studiare in biblioteca.

    c. All'università un cartello avvisa del trasferimento della biblioteca.

    d. All'università un ragazzo ti chiede indicazioni per andare in biblioteca.

PROVA N.1

0.la	1.del	2.l'	3.in	4.al	5.la	6.La	7.alla	8.sul	9.le	10.al
11.il	12.all'	13.dal	14.tra i	15.il	16.il	17.il	18.il	19.del	20.sul	

Alba e <u>la</u>$_1$ fiera del tartufo

Alba, anche quest'anno, sarà meta di numerosi turisti e appassionati del buon cibo.

Arriva$_2$ **l'** autunno e (in)**in** $_3$ Piemonte il tartufo è protagonista indiscusso. Così fino (a)$_4$ **al** 26 novembre Alba, capoluogo delle Langhe, ospiterà$_5$ **la** Fiera Internazionale del Tartufo Bianco.$_6$ **La** manifestazione è arrivata (a)$_7$ **alla** sua ottantasettesima edizione ed è la più importante in Piemonte, attirando ogni anno circa 600.000 mila visitatori (su)$_8$ **sul** territorio piemontese.

Durante $_9$ **le** otto settimane della Fiera, il tartufo sarà al centro di un ricchissimo programma di eventi che comprenderanno mostre, *show cooking*, enogastronomia ed incontri culturali di vario genere, dedicati quest'anno soprattutto(a)$_{10}$ **al** tema del *design*.

Cuore della fiera, ogni sabato e domenica, sarà $_{11}$ **il** *Mercato Mondiale del Tartufo Bianco d'Alba*, allestito (a)$_{12}$ **all'** interno del *Cortile della Maddalena*. In questo cortile sarà possibile conoscere e sperimentare il tartufo piemontese, considerato (da)$_{13}$**dal** 1700 un cibo (tra)$_{14}$ **tra i** più buoni in Europa.

$_{15}$ **Il** momento enogastronomico più esclusivo sarà quello delle *Ultimate Truffle Dinner,* cene esclusive in cui il tartufo sarà abbinato con elementi unici della cucina internazionale come $_{16}$ **il** *pesce e* $_{17}$ **il** vino. Le cene saranno $_{18}$ **il** 25 ottobre presso il *Guido Ristorante* (di)$_{19}$ **del** cuoco Ugo Alciati. Ulteriori informazioni sono (su)$_{20}$ **sul** sito Internet: http://www.fieradeltartufo.org/.

APPROFONDIMENTI

Le preposizioni possono essere di luogo, di tempo, di modo e di molti altri tipi. All'interno della frase è possibile capire il significato assunto dalla preposizione.

In questo testo sono presenti diverse **preposizioni di luogo.**

IN si usa con i nomi di:
- nazioni;
- regioni;
- continenti;
- isole grandi (Sicilia, Corsica…).

A si usa con i nomi di:
- città;
- isole piccole (Capri, Formentera...).

DA si usa con i nomi di persona o con i pronomi.

PER si usa spesso dopo il verbo partire.

PROVA N.2

Sedici giorni di olimpiadi

La ventesima edizione dei **Giochi olimpici invernali 0.**(esserci) *è stata* a Torino dal 10 al 26 febbraio 2006. Queste olimpiadi **1.**(cambiare) **hanno cambiato** sia la città di Torino che noi torinesi anche se la durata **2.**(essere) **è stata** di soli sedici giorni.

Prima di questo evento la città di Torino **3.**(essere) **era** semplicemente "la città dell'auto", grigia, statica, **apatica**.

1,8 miliardi di persone in tutto il mondo **4.**(seguire) **hanno seguito** la cerimonia di apertura che **5.**(essere) **è stata** in assoluto il **programma televisivo** più visto del 2006! L'**atmosfera** che **6.**(esserci) **c'era** in quei giorni nelle vie di Torino **7.**(essere) **era** unica: noi torinesi **8.**(essere) **eravamo** davvero al centro del mondo…

Uno degli aspetti più emozionanti delle Olimpiadi **9.**(essere) **è stato** il modo in cui i torinesi **10.**(rispondere) **hanno risposto** all'invito di **partecipare** attivamente ai giochi: ben quarantamila cittadini **11.**(offrirsi) **si sono offerti** volontari per l'**organizzazione** delle cerimonie di apertura e chiusura e per l'**accoglienza** degli atleti da tutto il mondo. Il Comune di Torino **12.** (decidere) **ha deciso** inoltre di chiudere le scuole, per **13.**(permettere) **permettere** anche ai giovani e ai giovanissimi di partecipare, in particolare ai bellissimi spettacoli che **14.**(caratterizzare) **hanno caratterizzato** le due cerimonie. Da non dimenticare i IX **Giochi paralimpici** invernali, che **15.**(svolgersi) **si sono svolti** sempre a Torino, dal 10 al 19 marzo.

Dopo queste Olimpiadi Invernali la città di Torino **16.**(cambiare) **è cambiata**. La ventata di internazionalità vissuta in quei giorni **17.**(lasciare) **ha lasciato** il segno. Oggi, davanti a numerosi musei **18.**(esserci) **c'è** la coda. Un consiglio a tutti i turisti: quando **19.**(volere) **vorrete** visitare il Museo Egizio o la Mole Antonelliana **20.**(fare) **fareste** meglio a portarvi un libro da leggere!

Arrivederci a Torino!

APPROFONDIMENTO

- **Cambiare** è un verbo che può usare sia l'ausiliare essere che avere. Quando ha un oggetto diretto, e quindi è usato in modo transitivo, forma i tempi composti con l'ausiliare avere. Invece, quando non ha un oggetto diretto, ed è usato in modo intransitivo, forma i tempi composti con l'ausiliare essere.
    Esempi: Gli studenti hanno cominciato la lezione alle 9.
        Il corso di italiano è cominciato alle 9.
- I **verbi al passato prossimo** nel testo indicano un'azione passata svolta e terminata in un momento preciso del passato.
- I **verbi all'imperfetto** nel testo sono usati per descrivere nel passato un luogo, un'azione o uno stato (verbi n.3-6-7-8).
- I **verbi al presente** indicano un'azione che avviene in un tempo presente o futuro (n. 19). È possibile usare il presente indicativo per indicare un'azione futura ma certa.
    Esempio: Domani parto per le vacanze (sicuramente il soggetto del verbo partire ha già un biglietto o una prenotazione).

- Il **verbo al condizionale** presente, o semplice, si usa per dare un consiglio, esprimere un'ipotesi o un desiderio.
Esempio: Dovresti prendere l'ombrello, fuori piove!

PROVA N.3

1.A	2.B	3.B	4.C	5.D	6.A	7.D	8.B	9.B	10.C	11.D	12.B	13.C	14.A	15.A

La scuola italiana per un _____**adolescente**_____

La scuola è quell'istituzione che attraverso insegnanti __competenti__$_1$ forma i bambini e ragazzi sin dalla giovane età. La scuola nel tempo è cambiata moltissimo, ora ci sono scuole private e __pubbliche__$_2$, scuole di ogni indirizzo, scuole per tutti, gli insegnanti si sono anch'essi evoluti, non danno più bacchettate sulle mani, schiaffi, __punizioni __$_3$umilianti, ora gli insegnanti sono pazienti, sopportano le classi più maleducate e irrispettose.

Forse però questa è una descrizione un po' semplificata ed esasperata positivamente dell'__evoluzione__$_4$sicuramente positiva che le scuole hanno avuto; è vero oggi si tengono conto di lacrime , problemi __familiari__$_5$, problemi di apprendimento e di ogni 'capriccio' dei ragazzi, questo secondo le regole sulla scuola, ma pochi sono gli insegnanti che in queste regole vedono il rispetto delle persone con cui condividono diverse ore della loro __giornata__$_6$, pochi sono quelli che non vedono tutto come una scocciatura.

Sciocco sarebbe dire che non si tiene conto del __parere __$_7$degli studenti, vero è che questi ultimi hanno sempre da lame tarsi, vero anche che molti insegnanti non hanno colto il loro importantissimo sebbene complicatissimo dovere e mestiere.

I __docenti__$_8$ scolastici agiscono su un periodo estremamente fragile degli studenti e l'errore che spesso fanno è non rendersene conto, non si possono attribuire le difficoltà di un adolescente solo all'età ma si devono fare __distinzioni__$_9$, c'è chi si diverte a massacrare i ragazzi come un carceriere fa con un prigioniero, umiliando e soprattutto non tenendo in minima considerazione il fatto che ogni individuo è diverso da un altro; parallelamente ci sono quegli insegnanti che mettono __passione__$_{10}$, amore e cura in quello che fanno, quelli che trasmettono dei valori e ti fanno crescere in maniera differente.

La più grande differenza tra docenti e __studenti__$_{11}$consiste nel potere di __ribattere__$_{12}$, l'allievo non ha sempre questa opportunità. Infatti, a volte per rispetto e a volte per il voto di condotta non si può permettere questa __libertà__$_{13}$ senza pagarne le conseguenze.

La scuola deve essere lo sguardo sul __mondo__$_{14}$, una panoramica sulla cultura e sulle relazioni __sociali__$_{15}$, deve essere l'opportunità per crescere, per formarsi ed anche per mettersi alla prova nella società e nel proprio ambiente.

ANALISI COMPLETA 2

PROVA N.4

| 1.D | 2.C | 3.A | 4.A | 5.C | 6.D | 7.B | 8.B | 9.A | 10.D |

Situazioni comunicative

1. D: messaggio informale per rifiutare un invito o una proposta.

2. C: richiesta formale in un ristorante.

3. A: richiesta formale di informazioni generiche.

4. A: conversazione telefonica per effettuare una prenotazione.

5. C: annuncio immobiliare tra privati.

6. D: ordinazione al bar.

7. B: annuncio/mesaggio automatico in stazione.

8. B: consiglio informale tra amici.

9. A: richiesta formale in un negozio di abbigliamento.

10. D: richiesta informale di indicazioni/informazioni.

PRODUZIONE SCRITTA COMPLETA 1

- **PRODUZIONE SCRITTA**

PROVA N.1

PROVA N.2

Descrivi una persona della tua famiglia. Devi scrivere da 100 a 120 parole.
DEVI SCRIVERE IL TESTO NEL FOGLIO DELLA PRODUZIONE SCRITTA-PROVA N.1.

Ho un familiare che è importante per me. Quando ero una piccola mi accompagnava a scuola ogni giorno a piedi o anche con la macchina. Se mi qualcosa triste è successo posso dire a lei. Lei mi spiegava tante ragioni utili per capire. Lei ha i capelli non tanto lunghi e ricci e marroni. È molto bella. Pensa 55 chili e alta 172 cm. Indossa i vestiti casual sempre, lei lavora tanto da lunedì a sabato per la nostra famiglia nella scuola, fa l'insegnante. Lei è la mia mamma, ha 49 anni ama la mia famiglia molto. Anche nel tempo libero mi porta per fare gite e viaggi anche se stanca.

CORREZIONE

Ho un familiare che è importante per me. Quando ero ~~una~~ piccola mi accompagnava a scuola ogni giorno a piedi o anche con la macchina. Se mi <u>succedeva</u> qualcosa di triste ~~è successo posso~~ potevo dirlo ~~dire~~ a lei. Lei mi spiegava tante ragioni utili per capire. Lei ha i capelli non tanto lunghi e ricci e marroni. È molto bella. ~~Pensa~~ pesa 55 chili e alta 172 cm. Indossa i vestiti casual sempre, lei lavora tanto per la nostra famiglia ~~da~~ dal lunedì ~~a~~al sabato ~~per la nostra famiglia~~ nella scuola, fa l'insegnante. Lei è la mia mamma, ha 49 anni ama la mia famiglia molto. Anche nel tempo libero mi porta ~~per~~ a fare gite e viaggi anche se è stanca.

CONSIGLI PER LA PRODUZIONE SCRITTA

- L'imperfetto si usa per fare **descrizioni** nel passato.
- Nella frase alla riga 1 *piccola* è un aggettivo e non può essere preceduto da un articolo. Nella frase alla riga 2 si continua la descrizione di ciò che succedeva e quindi è necessario usare l'imperfetto.
- È importante mantenere un ordine all'interno della frase: **soggetto+verbo+ complemento oggetto diretto**.
  Nella riga 2 non posso scrivere l'oggetto diretto *qualcosa di triste* prima del verbo.
- Quando si indica un intervallo di tempo le preposizioni da usare sono **da...a...** accompagnate dall'articolo:
  - Quando si indica un orario *dalle 10 alle 12*. Attenzione *dall'una alle due.*
  - Quando si indicano i giorni della settimana, che sono maschili esclusa la domenica, *dal lunedì al sabato.*

Scrivi una e-mail ad un tuo amico italiano per invitarlo a visitare la tua città. Devi scrivere da 80 a 100 parole. DEVI SCRIVERE IL TESTO NEL FOGLIO DELLA PRODUZIONE SCRITTA-PROVA N.2.

Ciao Francesco,

Come stai? Io bene.

La mia città è Hangzhou. Lei è vicino a Shangai. Lei è più famosa per il sua panorama. C'è i fiumi come Qiatang e le montagne . Tutti i stagioni sono belle. Anche Hangzhou è molto conveniente. Ci sono molti negozi per fare la shopping e locali per mangiare e bere qualcosa. Vieni nella mia città? possiamo fare tanti giri e anche nelle altre regioni. Secondo me le genti di Hangzhou piace vivere qui perché ci sono molte cose per fare e per vedere. Il Lago dell' Ovest è molto bello e i cinesi piace molto. Secondo me ti piace. Vieni per le vacanze di agosto?

Ti aspetto a Hangzhou.

Yu

CORREZIONE

Ciao Francesco,

Come stai? Io bene.

La mia città è Hangzhou. ~~Lei~~ è vicino a Shangai. ~~Lei~~ è più famosa per il ~~sua~~ suo panorama. ~~C'è~~ ci sono i fiumi come Qiatang e le montagne . Tutti ~~i~~ le stagioni sono belle. ~~Anche~~ Hangzhou è molto conveniente. Ci sono molti negozi per fare ~~la~~ shopping e locali per mangiare e bere qualcosa. Vieni nella mia città? possiamo fare tanti giri ~~e~~ anche nelle altre regioni. Secondo me ~~le genti~~ all gente di Hangzhou piace vivere qui perché ci sono molte cose ~~per~~ da fare e ~~per~~ da vedere. Il Lago dell' Ovest è molto bello e ~~i~~ ai cinesi piace molto. Secondo me ti ~~piace~~. Vieni per le vacanze di agosto?

Ti aspetto a Hangzhou.

Yu

CONSIGLI PER LA PRODUZIONE SCRITTA

- I pronomi personali soggetto, **io/tu/lei-lui/noi/voi/loro**, si usano per un essere animato, quasi sempre una persona. Non si possono usare per una cosa, un oggetto o un luogo (riga n.3).
- È necessario fare sempre attenzione al genere e numero dei nomi e alla loro concordanza con l'articolo che lo precede e l'aggettivo. Ci sono poi nomi con caratteristiche particolari, che possono avere solo la forma singolare o plurale, per esempio **la roba**. Il nome *gente* non è difettivo del plurale, tuttavia si usa solo al singolare per non cambiarne il significato. *Gente* indica un insieme di persone non definito.
- C'è/ ci sono si usano per indicare la presenza in un luogo di una persona o oggetto. É importante ricordare: *c'è* + nome singolare, *ci sono* + nome plurale.
- Il verbo piacere è preceduto da un pronome indiretto:
  Ci piace il mare. (a noi piace il mare)

PRODUZIONE SCRITTA
COMPLETA 2

• **PRODUZIONE SCRITTA**

PROVA N.1

PROVA N.2

Racconta una vacanza che ti ha lasciato un ricordo particolare e spiega perché.
Devi scrivere da 100 a 120 parole. DEVI SCRIVERE IL TESTO NEL FOGLIO DELLA
PRODUZIONE SCRITTA PROVA N.1.

L'anno prima ho viaggiato a Napoli. Sono divertito tantissimo ed è la città bellissima. Tutti mi dicevano che sia pericolosa. Napoli non è stata pericolosa. Ho camminato la sera e la mattina per le strade e sempre sicura.

Il mare di Napoli bellissimo. La gente sono sempre gentili e caldi.

Di sera andavo sempre a mangiare pizza buonissima. Ma anche pesce e pasta. Andavo sempre in stesso ristorante. Il propietario è gentile e pagavo poco. In questo ristorante ho conosciuto Ciro, simpatico e giovane come me. Era anche bello e gentile. Mi ha accompagnato a casa sempre e a volte saliva nella mia casa. Eravamo insieme per due settimane. Infine siamo salutati. È stato molto triste e anche io. Ogni tanto sentiamo col telefono ma sono sempre triste. Sono troppo lontano e mi manca tanto Napoli e Ciro.

CORREZIONE

L'anno prima ~~ho viaggiato~~ sono andata a Napoli. Mi Sono divertita tantissimo ed è ~~la~~ una città bellissima. Tutti mi dicevano che ~~sia~~ era pericolosa. Napoli non è stata pericolosa. Ho camminato la sera e la mattina per le strade e sempre sicura.

Il mare di Napoli è bellissimo. La gente ~~sono~~ è sempre gentile e calda (calorosa).

Di sera andavo sempre a mangiare una pizza buonissima. Ma anche il pesce e la pasta. Andavo sempre ~~in~~ nello stesso ristorante. Il proprietario ~~è~~ era gentile e pagavo poco. In questo ristorante ho conosciuto Ciro, simpatico e giovane come me. Era anche bello e gentile. Mi ha accompagnato a casa sempre e a volte saliva nella mia casa (in casa mia). ~~Eravamo~~ Siamo stati insieme per due settimane. ~~Infine~~ Alla fine ci siamo salutati. ~~È stato~~ Era molto triste e anche io. Ogni tanto ci sentiamo ~~col~~ al telefono ma sono sempre triste. Sono troppo lontana e mi manca tanto Napoli e Ciro.

CONSIGLI UTILI PER LA PRODUZIONE SCRITTA

• La parola **viaggiare** non deve essere usata con il significato attribuito nel testo. Il verbo viaggiare non viene usato generalmente per indicare un'azione precisa, la utlizziamo per indicare azioni più generali, più lunghe, descrizioni e desideri.

Esempio:

Ieri ho viaggiato a Milano → Ieri sono andato a Milano, sono partito per Milano.

Vorrei viaggiare per per tutta la vita

L'uomo viaggerà nel tempo?

A mia moglie non piace viaggiare.

Paolo ha deciso di viaggiare in treno.

• La parola GENTE è una parola singolare.

La gente è gentile

• *Attenzione all'uso di IN*

PREPOSIZIONE	SIGNIFICATO	ESEMPI
IN	Indica la **posizione:** • nello spazio * moto a luogo * stato in luogo • nel tempo A volte indica anche: • mezzo • modo	 *Lavora **in ufficio.*** *È andato **in Spagna.*** *Rimango in casa.* *Ci vediamo **in serata.*** *Vado a lavorare **in autobus.*** *State **in silenzio!***

Hai appena cambiato casa. Scrivi una e-mail ad un amico: gli spieghi dove abiti e lo inviti a venirti a trovare.
DEVI SCRIVERE IL TESTO NEL FOGLIO DELLA PRODUZIONE SCRITTA - PROVA N.2.
DEVI SCRIVERE DA 50 A 80 PAROLE.

Ciao caro Paul,

sto pensando di fare una festa a casa mia per iniziare la casa mia nuova. Cucinerò cibo coreano e cinese. Quindi se ti interessi, chiama, sarà divertente. Ora abito in casa nuova, bella, più grande, con un terazo grande grande. Ora abito nel centro. Vicino università. Ultimo piano. Se prendi autobus arrivi con 15 minuti. Con i piedi più tempo. Se vieni subito mi aiuti per organizzare festa e comprare le bibite. Voglio invitare anche Anna, la ragazza simpatica che piace. Vuoi? Spero sì.

Aspetto tue risposte. Grazie

A presto

CORREZIONE

Ciao caro Paul,

sto pensando di fare una festa a casa mia per ~~iniziare~~ inaugurare la mia casa ~~mia~~ nuova. Cucinerò cibo coreano e cinese. Quindi se ti interessa, chiamami, sarà divertente. Ora abito in una casa nuova, bella, più grande, con un terrazzo più grande ~~grande~~. Ora abito ~~nel~~ in centro. Vicino all'università. All'ultimo piano. Se prendi l'autobus arrivi ~~con~~ in 15 minuti. ~~Con i~~ A piedi è necessario più tempo. Se vieni subito mi aiuti per organizzare la festa e comprare le bibite. Voglio invitare anche Anna, la ragazza simpatica che ti piace. Vuoi? Spero di sì.

Aspetto la tua risposta. Grazie

A presto

CONSIGLI UTILI PER LA PRODUZIONE SCRITTA

Gli aggettivi possessivi vanno prima del nome.

Esempi:

La tua automobile è blu!

Il mio gatto è grigio.

La nostra casa è grande.

ATTENZIONE! Alcune espressioni sono un'eccezione:

– **colpa** → *es: è colpa tua o è colpa nostra?*

– **merito** → *es: è merito tuo o è merito nostro?*

– **a casa** → *es: andiamo a casa mia o a casa tua?*

PREPOSIZIONE	SIGNIFICATO	ESEMPI
A	Indica la **direzione di un'azione:** • termine (verso qualcuno) • moto a luogo Può anche indicare: • stato in luogo • età • tempo	*Regalo i fiori a Laura.* *Vado a Genova.* *Rimango a casa.* *Sono venuto in Italia a 12 anni.* *Noi mangiamo a mezzogiorno.*

PRODUZIONE ORALE

PROVA N.1

PROVA N.2

PRODUZIONE ORALE
Livello: **UNO – B1**

Prova n. 1

La prova ha le caratteristiche di una conversazione faccia a faccia. L'esaminatore dovrà fare un dialogo con il candidato su uno dei seguenti argomenti:

- **aspetti positivi e negativi del suo carattere;**
- **il suo lavoro o i suoi studi;**
- **quale rapporto ha con internet e quali siti web visita di solito;**
- **qual è il regalo più originale che ha fatto.**

Il candidato potrà scegliere **uno** degli argomenti. Successivamente l'esaminatore avvierà la conversazione rivolgendo al candidato una prima domanda relativa all'argomento scelto e continuerà a sollecitare la conversazione rivolgendo altre domande sulla base delle risposte ricevute dal candidato.

Durata della conversazione: 2-3 minuti circa.

Prova n. 2

La prova ha le caratteristiche di un parlato faccia a faccia monodirezionale. L'esaminatore inviterà il candidato a parlare su uno dei seguenti argomenti:

- **una città che ha visitato e che gli è piaciuta;**
- **la trama di un film che ha visto o di un libro che ha letto;**
- **l'immagine numero uno;**
- **l'immagine numero due.**

Il candidato può trovare le immagini numero 1 e 2 nella pagina seguente.

Il candidato dovrà organizzare la propria esposizione senza l'aiuto dell'esaminatore, che potrà eventualmente intervenire per aiutare il candidato che abbia difficoltà a parlare.

Durata dell'esposizione: un minuto e mezzo circa.

Nella preparazione alla produzione orale è bene tener presente:

- Gestione del tempo:

  Prova n. 1: 2-3 minuti circa

  Prova n. 2 : 1 minuto e mezzo circa

È bene esercitarsi con un cronometro per verificare la gestione del discorso nel tempo indicato da parte del candidato.

- Lessico:

  Particolare attenzione al lessico, si consiglia di prendere visione del dizionario allegato a questo libro. Durante le simulazioni è consigliabile provare ad utilizzare alcune delle parole del campo semantico di riferimento.

IMMAGINE NUMERO 1

IMMAGINE NUMERO 2

CONSIGLI PER LA DESCRIZIONE DI UN'IMMAGINE

Il candidato deve osservare con attenzione l'immagine o la fotografia. Può annotarsi su un foglio bianco le parole che gli vengono in mente.

Il candidato deve analizzare e descrivere la foto o l'immagine in modo geometrico:

- la descrizione deve iniziare dallo sfondo, cioè dalla parte più lontana per poi arrivare alla parte in primo piano, cioè la parte più vicina.

- Il candidato deve partire dall'ambiente per arrivare al personaggio (se presente). Dai colori più lontani a quelli più vicini.

- Dopo aver analizzato l'immagine nella sua completezza, ora si può passare dal CHE COSA VEDO al CHE COSA SENTO, CHE COSA PROVO, ESPERIENZE, RICORDI E FANTASIE.

ESEMPIO DI UNA SIMULAZIONE D'ESAME

CHE COSA VEDO	*Nell'immagine vedo il mare. Il cielo è blu, chiaro, il sole molto forte. Forse è pomeriggio tardi. Vedo delle montagne piccole a destra. Non vedo barche o persone. Forse fa freddo. Poi vedo la spiaggia, con sabbia e c'è una ragazza che guarda il mare, è girata, ha una borsa e non ha le scarpe. Forse viene da una passeggiata. Vedo i passi sulla sabbia. Da destra.*
CHE COSA SENTO	*A me piace il mare. Quando guardo il mare sto bene. Rilasso. Mi piace l'odore, il profumo. Quando guardo il mare penso quando ero bambino. Sono andato al mare tanto con papà e mamma. Mi piaceva fare il bagno nel mare. Non so nuotare ma imparerò.* *Mi piacerebbe avere una barca. Piccola per viaggiare tanto e andare dove voglio.* *[...]*

PRODUZIONE ORALE

COMPLETA 2

- **PRODUZIONE ORALE**

  PROVA N.1

  PROVA N.2

PRODUZIONE ORALE
Livello: **UNO – B1**

Prova n. 1

La prova ha le caratteristiche di una conversazione faccia a faccia. L'esaminatore dovrà fare un dialogo con il candidato su uno dei seguenti argomenti:

• **come trascorri il weekend solitamente;**
• **se ascolti la radio quali programmi preferisci;**
• **il viaggio più strano che hai fatto;**
• **qual è il regalo più originale che hai fatto.**

Il candidato potrà scegliere **uno** degli argomenti. Successivamente l'esaminatore avvierà la conversazione rivolgendo al candidato una prima domanda relativa all'argomento scelto e continuerà a sollecitare la conversazione rivolgendo altre domande sulla base delle risposte ricevute dal candidato.

Durata della conversazione: 2-3 minuti circa.

Prova n. 2

La prova ha le caratteristiche di un parlato faccia a faccia monodirezionale. L'esaminatore inviterà il candidato a parlare su uno dei seguenti argomenti:

• **una festa tradizionale italiana a cui hai assistito;**
• **un libro che hai letto;**
• **l'immagine numero uno;**
• **l'immagine numero due.**

Il candidato può trovare le immagini numero 1 e 2 nella pagina seguente.

Il candidato dovrà organizzare la propria esposizione senza l'aiuto dell'esaminatore, che potrà eventualmente intervenire per aiutare il candidato che abbia difficoltà a parlare.

Durata dell'esposizione: un minuto e mezzo circa

Nella preparazione alla produzione orale è bene tener presente:

• Gestione del tempo:

   Prova n. 1: 2-3 minuti circa
   Prova n. 2 : 1 minuto e mezzo circa

È bene esercitarsi con un cronometro per verificare la gestione del discorso nel tempo indicato da parte del candidato.

• Lessico:

   Particolare attenzione al lessico, si consiglia di prendere visione del dizionario allegato a questo libro. Durante le simulazioni è consigliabile provare ad utilizzare alcune delle parole del campo semantico di riferimento.

IMMAGINE NUMERO 1

IMMAGINE NUMERO 2

CONSIGLI PER LA DESCRIZIONE DI UN'IMMAGINE

Il candidato deve osservare con attenzione l'immagine o la fotografia. Può annotarsi su un foglio bianco le parole che gli vengono in mente.

Il candidato deve analizzare e descrivere la foto o l'immagine in modo geometrico:

- la descrizione deve iniziare dallo sfondo, cioè dalla parte più lontana per poi arrivare alla parte in primo piano, cioè la parte più vicina.

- Il candidato deve partire dall'ambiente per arrivare al personaggio (se presente). Dai colori più lontani a quelli più vicini.

- Dopo aver analizzato l'immagine nella sua completezza, ora si può passare dal CHE COSA VEDO al CHE COSA SENTO, CHE COSA PROVO, ESPERIENZE, RICORDI E FANTASIE.

ESEMPIO DI UNA SIMULAZIONE D'ESAME

CHE COSA VEDO	*Nell'immagine vedo un palazzo in fondo, il cielo è blu, la giornata è bella, dietro al palazzo forse c'è una piazza e vedo altri palazzi molto grandi. Davanti al palazzo c'è qualcuno che vende palloncini, con molti colori, rosso, giallo, blu. Vicino ai palloncini c'è un uomo tutto bianco o forse una statua. Forse è un uomo che sta fermo fermo e chiede soldi. Qui vicino a me c'è una ragazza con i capelli lunghi. Parla con qualcuno che non vedo. Vedo altra gente che cammina*
CHE COSA SENTO	*Forse è domenica. Forse è mattina. C'è poca gente e forse sono ancora tutti a dormire. Credo che sia il centro della città. Mi piace il centro della città, mi piace passeggiare come questi durante la domenica mattina. Mi piace sentire le persone che parlano. Così posso imparare italiano bene.* *[…]*

PROVA COMPLETA 1

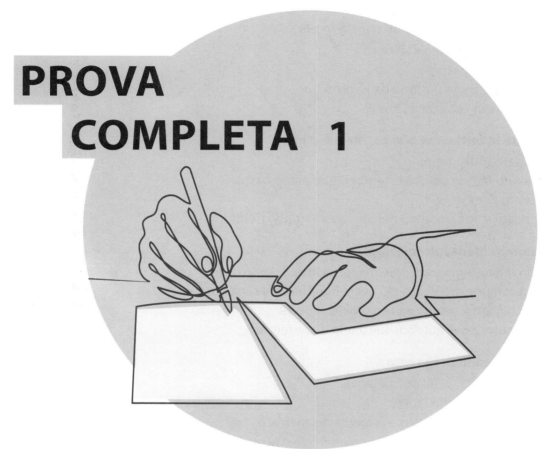

- **ASCOLTO**

  PROVA N.1, PROVA N.2, PROVA N.3

- **COMPRENSIONE DELLA LETTURA**

  PROVA N.1, PROVA N.2, PROVA N.3

- **ANALISI DELLE STRUTTURE DI COMUNICAZIONE**

  PROVA N.1, PROVA N.2, PROVA N.3, PROVA N.4

- **PRODUZIONE SCRITTA**

  PROVA N.1, PROVA N.2

Ascolta i testi. Poi completa le frasi. Scegli una delle quattro proposte di completamento. Alla fine del test di ascolto, **DEVI SCRIVERE LE RISPOSTE NEL 'FOGLIO DELLE RISPOSTE'.**

1. **Luca chiede a sua mamma**
   a. i soldi per pagare una multa.
   b. di telefonare alla polizia municipale.
   c. informazioni su una multa da pagare.
   d. l'indirizzo della polizia municipale.

2. **Marco chiede a Martina un consiglio per**
   a. un fine settimana a Livorno.
   b. una bella spiaggia.
   c. i traghetti che partono da Livorno.
   d. andare in vacanza a Tirrenia.

3. **Durante la settimana bianca, Manuela ha**
   a. sciato tutti i giorni.
   b. avuto freddo perché le temperature erano basse.
   c. visto poca neve.
   d. sciato solo al mattino perchè faceva troppo freddo.

4. **Un uomo chiede informazioni**
   a. in tabaccheria sugli orari degli autobus.
   b. al comune di Saluzzo per avere informazioni sugli autobus.
   c. in biglietteria sulla partenza dell'autobus.
   d. all'autista dell'autobus sull'orario di partenza.

5. **L'impresa edile *La tua casa***
   a. consente la scelta dei materiali.
   b. vende case innovative.
   c. ha prezzi cari rispetto alla media del mercato.
   d. vende prodotti, materiali e colori per la costruzione di abitazioni.

6. **La catena alberghiera Hilton comunica**
   a. l'apertura di un centro SPA.
   b. un'offerta valida dal mese di settembre.
   c. l'apertura di nuovi alberghi in Italia.
   d. che nel mese di settembre sarà possibile soggiornare gratuitamente.

7. **L'acquisto dell'ultima enciclopedia consente**
   a. di avere uno sconto.
   b. di vincere un premio.
   c. di ricevere un premio.
   d. di ricevere un ingresso omaggio al museo di storia italiana.

Ascolta il testo. Poi completa le frasi. Scegli una delle quattro proposte di completamento. Alla fine del test di ascolto, DEVI SCRIVERE LE RISPOSTE NEL 'FOGLIO DELLE RISPOSTE'.

1. Il Teatro della Concordia è molto famoso perché

a. il direttore artistico è un musicista.

b. è il teatro all'italiana più piccolo al mondo.

c. ci sono spettacoli per bambini piccoli.

d. è un teatro all'italiana chiuso da molti anni.

2. Per Davide Trani il suo lavoro al Teatro della Concordia è

a. la realizzazione di un sogno.

b. bello perché ha la possibilità di conoscere molti artisti.

c. un'opportunità per la carriera futura.

d. monotono e ripetitivo.

3. Il teatro è molto conosciuto perché

a. è molto diverso dai teatri europei.

b. ha 99 finestre.

c. il palco è largo 99 metri.

d. ha solo 99 posti, tra palco e platea.

4. Tra il 1700 e il 1800

a. lo stato italiano ha deciso di costruire il teatro.

b. alcune famiglie ricche hanno deciso di costruire autonomamente il teatro.

c. il comune di Montecastello non era d'accordo sulla costruzione.

d. le famiglie più povere hanno lavorato alla costruzione del teatro.

5. Il nome Concordia ricorda

a. gli ideali di quel periodo storico che oggi non esistono più.

b. la guerra con la Francia.

c. gli ideali e i valori più importanti per gli italiani.

d. il nome di una Chiesa di Montecastello.

6. Grazie all'iniziativa porte aperte

a. è possibile comprare un abbonamento scontato.

b. è possibile riservare i posti migliori per assistere agli spettacoli.

c. è possibile conoscere gli attori.

d. è possibile prenotare una visita guidata.

7. Secondo Davide Petri è importante

a. vedere bambini e giovani a teatro.

b. proporre spettacoli per bambini e giovani.

c. portare i bambini a corsi di teatro.

d. leggere libri sulla storia del Teatro Concordia.

PROVA COMPLETA 1

Ascolta il testo: è una trasmissione radiofonica. Poi leggi le informazioni.
Scegli le 6 informazioni (da A a M) presenti nel testo. Alla fine del test di ascolto,
DEVI SCRIVERE LE RISPOSTE NEL 'FOGLIO DELLE RISPOSTE'.

A. La trasmissione radiofonica parla dei grandi centri urbani della Sardegna.

B. In Sardegna ci sono 15 comuni con pochissimi abitanti.

C. Semestene si trova nel nord-est della Sardegna.

D. La popolazione di Semestene ha meno di 65 anni.

E. Semestene è una località turistica molto famosa.

F. Ci sono solo due attività commerciali nel comune di Semestene.

G. Tanti abitanti di Semestene si sono trasferiti al mare.

H. In Sardegna non ci sono opportunità lavorative.

I. Secondo il presidente della Regione Sardegna, l'agricoltura sarà il futuro della regione.

J. La Sardegna non ha prodotti tipici alimentari.

K. Il Mirto è un liquore unico al mondo.

L. Nel 2007 è nata un'associazione che si occupa dei piccoli comuni sardi.

M. Quest'associazione non si occupa di iniziative legate all'agricoltura.

Trascrizione del testo audio

1.

- **Ciao mamma, ti devo chiedere un consiglio ? (uomo)**
- Certo Luca, dimmi! (donna)
- **Ho preso una multa per eccesso di velocità…devo pagarla, ma non la trovo più!**
- Devi andare dalla polizia municipale e chiedere un duplicato così la puoi pagare all'ufficio postale.

2.

- **Martina, tu che sei di Livorno, mi consiglieresti una bella spiaggia qui vicino! (uomo)**
- Certo Marco. La mia spiaggia preferita è qui vicino a Tirrenia, ci sono molti lidi puoi scegliere quello che preferisci. (donna)
- **Sai quanto costano un ombrellone e due lettini?**
- 20 euro al giorno.

3.

- **Manuela come è andata la settimana bianca sulle Dolomiti? (uomo)**
- Daniele ti dirò…è andata benissimo! (donna)
- **Avete sciato tutti i giorni?**
- Sì, tutti i giorni dal mattino alla sera. La neve era fresca e le temperature non troppo basse.

4.

- **Buongiorno, vorrei sapere quando parte questo autobus per Saluzzo. (uomo)**
- Allora, l'autobus parte tra venti minuti, all'una, dal piazzale qui di fronte. (uomo)
- **Posso comprare un biglietto qui a bordo?**
- No, mi dispiace i biglietti si possono acquistare in edicola o in tabaccheria.

5.

- L'impresa edile *La tua casa* costruisce abitazioni a misura d'uomo. È possibile scegliere i materiali, la disposizione delle camere e il colore delle pareti. I prezzi sono i più competitivi sul mercato!

6.

- La catena alberghiera Hilton è felice di comunicare alla sua clientela che dal mese di settembre l'accesso alla SPA sarà gratuito in tutti i suoi alberghi situati sul territorio italiano.

7.

- Da oggi, in tutte le edicole, l'ultimo numero della raccolta di enciclopedie dedicate alla storia italiana. Con l'acquisto di quest'ultimo numero sarà possibile partecipare al concorso a premi.

Soluzioni

1. C	5. A
2. B	6. B
3. A	7. B
4. D	

Trascrizione del testo audio

Giornalista: Buongiorno a tutti gli ascoltatori di Radio Felicità, un saluto dalla vostra presentatrice Ada Saraci. Oggi abbiamo in studio un ospite speciale, il direttore artistico del teatro all'italiana più piccolo al mondo, Davide Trani. Il Teatro della Concordia, così si chiama il teatro più piccolo in assoluto, è un luogo in cui lavorare è magico, giusto Davide?

Davie Trani: Grazie Ada e un buongiorno a tutti i radioascoltatori. Lavorare al Teatro della Concordia per me è la realizzazione di un sogno che avevo da quando ero bambino. È un lavoro molto particolare, ogni giorno diverso e molto gratificante. Anche se non conosco personalmente gli artisti posso garantire che sul palco sono eccezionali.

Ci puoi dare qualche informazione in più..

Certo. Il teatro si trova in Umbria, a Montecastello di Vibio, ed è conosciuto in tutto il mondo come il teatro con meno posti totali. Ce ne sono solo 99. È una riproduzione in miniatura dei grandi teatri italiani ed europei.

È un teatro molto antico, giusto?

Sì. Il Teatro è stato costruito tra il 1700 e il 1800 da alcune famiglie molto ricche dell'Umbria che hanno deciso di costruirlo con i propri soldi. Il comune di Montecastello non ha partecipato ai lavori e alla costruzione.

Perché questo nome, Concordia?

Il nome ricorda alcuni valori e ideali di quel periodo storico come l'uguaglianza e la fratellanza. Sono valori molto importanti per il popolo italiano ancora oggi.

È possibile visitare il teatro?

Oltre alla possibilità di prenotare una visita guidata alla scoperta della sua storia, grazie all'iniziativa Porte Aperte, è possibile assistere a spettacoli ed eventi gratuiti.

Un'ultima domanda...il teatro di solito è lontano dai giovani, voi avete iniziative particolari?

Certo, il Teatro per i giovani, è l'iniziativa più importante a mio parere. Non c'è niente di più bello di avere il teatro pieno di bambini e giovani.

Soluzioni

1. B   5. C
2. A   6. D
3. D   7. A
4. B

Trascrizione del testo audio

Buongiorno da Paolo Rossi. Come tutti i lunedì mattina oggi parleremo di paesi italiani poco abitati, dove le persone sono sempre meno e il rischio di scomparsa è sempre maggiore.

La Sardegna è una regione italiana con ben 15 comuni destinati a scomparire. Oggi parliamo di Semestene, un piccolo comune sardo, situato a nord-est dell'Isola. Semestene è un paesino con 115 abitanti di cui più della metà con un età superiore ai 65 anni. Fra le stradine del centro ci sono numerose case vuote, disabitate. Non ci sono supermercati e panetterie, le uniche attività commerciali aperte sono una farmacia e un bar . Il proprietario del bar, il signor Pietro, ci spiega le motivazioni dell'abbondono di Semestene. Secondo lui il problema maggiore è il lavoro che a Semestene non c'è. Le persone che hanno deciso di rimanere in Sardegna si sono spostate nei paesi sul mare, ricchi di opportunità lavorative, mentre quelli che hanno deciso di lasciare l'isola si sono spostati nelle città più industrializzate come Milano e Torino.

Ma non tutte le speranze sono perse. Secondo il presidente della regione Sardegna l'agricoltura potrebbe essere la salvezza dei paesi nell'entroterra sardo, ovvero di tutti quei paesi che non possono lavorare con il turismo estivo perché sono lontani dal mare. I prodotti dell'agricoltura sarda sono venduti in tutta Italia, tra questi ci sono: il pecorino, il tipico pane sardo e il Mirto, un liquore a base di mirtillo buonissimo e unico al mondo.

Nel 2017 è nata un'associazione in difesa di questi piccoli comuni con sede a Semestene. Le persone che ne fanno parte propongono ai turisti percorsi alternativi in cui assaporare le specialità sarde, vivere immersi nella natura, fare passeggiate a cavallo e visitare borghi antichi con costruzioni tipiche. In questo modo il turismo potrebbe aiutare l'economia di questi paesi ed evitare così la loro definitiva scomparsa. L'altra grande iniziativa, portata avanti da quest'associazione, riguarda la coltivazione e l'allevamento di pecore. Per portare avanti queste attività, questi comuni hanno bisogno di ricevere soldi dallo Stato Italiano per poter investire in attrezzature e per modernizzare le tecniche di lavorazione del terreno.

Soluzioni

B
C
F
G
I
K

Leggi il testo.

La Biblioteca degli Alberi a Milano

1 La Biblioteca degli Alberi è il nome del terzo parco più grande nel centro di Milano e sarà inau-
2 gurata nel mese di ottobre 2018. Sono presenti più di 90mila piante in uno spazio di 9,5 ettari.
3 Questo parco è una reinterpretazione in chiave moderna di un giardino botanico ed è nato
4 da un progetto di uno studio olandese di Amsterdam che prevede una rivisitazione dell'idea
5 di giardino aperto al pubblico.
6 Sono molteplici gli elementi che caratterizzano questo giardino botanico, tra questi ci sono:
7 percorsi pedonali e ciclabili che attraversano interamente il parco, giardini ornamentali ricchi
8 di prati, fiori e piccole piazze nelle quali ci sono gruppi di alberi, panchine e in cui sarà possibi-
9 le organizzare eventi come feste o convegni.
10 Questo parco è in mezzo a tre grandi quartieri milanesi facilitando così l'accesso da diverse
11 vie e strade. Campi fioriti e foreste circolari si alternano a percorsi pedonali e ciclabili e non
12 mancano aree relax, spazi giochi per bambini, aree per cani e una zona *fitness* all'aria aperta.
13 La Biblioteca degli alberi è vicino al famosissimo grattacielo milanese, che si chiama Bosco
14 Verticale, e al grattacielo di una famosa banca italiana. Il Bosco Verticale è un modello di edifi-
15 cio residenziale sostenibile dove ci sono più di 800 alberi sui balconi e sulle terrazze, ognuno
16 di questi di 3, 6 o 9 metri, e 15.000 piante distribuite in relazione alla posizione delle facciate
17 verso il sole. La sua particolarità consiste proprio nella presenza così elevata di alberi che ren-
18 dono questo palazzo unico nel suo genere.
19 Questo è un progetto nato per portare un po' di verde nelle aree grigie residenziali e per que-
20 sto motivo, nel 2014, ha vinto un premio riconosciuto a livello mondiale come miglior spazio
21 abitativo ecosostenibile. In questa costruzione si incontrano perfettamente la natura e l'uomo
22 con i suoi bisogni e necessità.
23 Con questi progetti innovativi Milano si posiziona in Italia come la prima città per sviluppo
24 economico, innovazione tecnologica e industriale. È sempre stata, ma i numeri sono cresciuti,
25 meta di turismo internazionale soprattutto per la moda. Negli ultimi anni i turisti sono aumen-
26 tati grazie ai molteplici eventi di cui la città di Milano è stata protagonista come Expo e tutte le
27 fiere commerciali ed espositive fatte nel vicino comune di Rho. Le recensioni dei partecipanti a
28 questi eventi sono state molto positive e tutte hanno premiato la rete di trasporti che collega
29 Rho al centro di Milano, l'ampia disponibilità di parcheggi vicini al centro fiere per i visitatori e
30 la presenza di uffici informativi per turisti.

Adattato da http://www.asils.it/la-biblioteca-degli-alberi-milano/

Completa le seguenti frasi. Scegli una delle quattro proposte di completamento che ti diamo per ogni frase. DEVI SCRIVERE LE RISPOSTE NEL 'FOGLIO DELLE RISPOSTE'.

1. **La Biblioteca degli alberi**
   a. è un parco che chiuderà nel mese di ottobre 2018.
   b. è il più grande parco milanese.
   c. è un parco che aprirà nel 2018.
   d. è un luogo in cui prendere in prestito libri.

2. **All'interno del parco sarà possibile**
   a. assistere a concerti gratuiti.
   b. fare ogni tipo di sport.
   c. andare in bicicletta e rilassarsi.
   d. comprare fiori ed alberi.

3. **La Biblioteca degli alberi si trova**
   a. in provincia di Milano.
   b. nella piazza centrale vicino agli uffici di una famosa banca italiana.
   c. in una zona residenziale.
   d. vicino a due grattacieli.

4. **Il grattacielo *Il Bosco verticale* è unico perchè**
   a. è il più alto grattacielo in Italia.
   b. ha un elevato numero di alberi sui balconi.
   c. ha 800 dipinti di alberi al suo interno.
   d. ha 800 balconi.

5. **Il Bosco verde ha vinto un premio per**
   a. il rispetto della natura e dell'ecosistema.
   b. la sua forma innovativa.
   c. la qualità dei materiali usati.
   d. il rispetto delle leggi sulla protezione dell'ambiente.

6. **Milano è la prima città in Italia per**
   a. l'industria e la tecnologia.
   b. il patrimonio artistico e storico.
   c. la presenza di scienziati e ricercatori.
   d. il numero di turisti.

7. **Nel comune di Rho**
   a. i parcheggi sono a pagamento.
   b. c'è una grande struttura per fiere commerciali ed espositive.
   c. ci sono numerose attività commerciali.
   d. non ci sono servizi per il trasporto pubblico.

Leggi il testo.

Sestri Levante e la tradizione fiabesca italiana

1 La fiaba è un racconto di origine popolare in cui i protagonisti sono i personaggi fantastici
2 come: draghi, principi, fate, orchi e gnomi. Il racconto delle fiabe ha una grande tradizione
3 popolare e in tutte le regioni italiane ci sono fiabe tramandate di generazione in generazione.
4 Il primo scrittore, che ha raccolto tutti questi racconti nel 1956 in un unico libro, è stato Italo
5 Calvino che ha voluto unire numerose fiabe della tradizione regionale che molto spesso
6 venivano solo raccontate oralmente e di cui non c'erano copie scritte.
7 La tradizione delle fiabe non è assolutamente qualcosa di dimenticato o esclusivamente
8 legato al passato. Ogni anno a Sestri Levante, una cittadina ligure sul mare, si celebra questa
9 tradizione con innumerevoli attività e con il Premio Hans Christian, famoso anche come Piccolo
10 Premio Nobel della narrativa per l'infanzia.
11 Questo premio è nato nel 1967. È un evento di riferimento per la letteratura infantile e giovanile
12 la cui particolarità è la divisione in 4 categorie in cui gli autori possono partecipare:
13 • adulti (oltre i 17 anni)
14 • ragazzi (da 11 a 16 anni)
15 • bambini (da 6 a 10 anni)
16 • scuola materna (da 3 a 5 anni).
17 Il concorso è aperto ad autori stranieri, in linea con l'internazionalità della manifestazione.
18 Accanto a questo Premio è nato nel 1998 uno dei più importanti festival italiani dedicati alle
19 favole e al teatro, il Festival Andersen. Quest'anno, dal 7 al 10 giugno, compagnie teatrali e
20 personaggi famosi, nazionali e internazionali, si esibiranno per le vie del borgo e saranno
21 ospitate compagnie di teatro di strada, urbano, di sala e di burattini, oltre a compagnie di
22 musica e danza.
23 L'Andersen 2018, in particolare, progetterà alcuni eventi in collaborazione con alcune fra le più
24 importanti realtà culturali regionali quali le fondazioni Teatro Carlo Felice e Palazzo Ducale, il
25 Teatro Stabile di Genova, il Festival della Scienza, il Festival della Poesia e l'Università di Genova.

Adattato da: http://www.asils.it/sestri-levante-la-tradizione-fiabesca-italiana/

Leggi le informazioni. Scegli le 7 informazioni (da A a O) presenti nel testo che hai letto. DEVI SCRIVERE LE TUE SCELTE NEL 'FOGLIO DELLE RISPOSTE'.

A. Le fiabe sono un genere narrativo moderno.

B. I protagonisti delle fiabe non sono reali, sono inventati dall'autore.

C. Italo Calvino ha raccolto in un unico libro le fiabe popolari.

D. Le fiabe sono solo un ricordo del passato.

E. La città di Sestri Levante ha ricevuto il Premio Hans Christian per la bellezza del suo mare.

F. La città di Sestri Levante ospita ogni anno eventi culturali legati alla tradizione della fiaba.

G. Il Premio Hans Christian è riservato esclusivamente alle fiabe per bambini della scuola materna.

H. Possono partecipare al Premio Hans Christian tutti gli autori di fiabe.

I. Possono partecipare a questa premiazione solo autori italiani.

J. Il Festival Andersen è nato nel 1998.

K. A Sestri Levante, dal 7 al 10 giugno, ci saranno molte iniziative culturali legate al teatro.

L. L'ingresso ai teatri, dal 7 al 10 giugno, sarà gratuito.

M. Le vie del borgo storico saranno chiuse e sarà possibile solo accedervi a piedi.

N. Partecipano a questi eventi solo compagnie italiane.

O. Gli eventi sono organizzati in collaborazione con numerose realtà regionali.

Leggi il testo. Il testo è diviso in 11 parti. Le parti non sono in ordine. Ricostruisci il testo. Scrivi il numero d'ordine accanto a ciascuna parte. DEVI SCRIVERE LE RISPOSTE NEL 'FOGLIO DELLE RISPOSTE'.

In migliaia senza elettricità a Torino

☐ A. Le forze dell'ordine sono intervenute immediatamente e, con i tecnici, hanno scoperto la causa del forte rumore.

☐ B. Questi disagi sono dovuti alla mancanza di elettricità in numerose abitazioni e attività commerciali. Tutto è iniziato l'altro ieri quando gli abitanti hanno sentito un forte rumore.

☐ C. I tecnici sono intervenuti nel bar e hanno cercato di risolvere il problema ma purtroppo il danno alla rete elettrica è stato troppo grave e hanno comunicato ai torinesi che il problema non sarà risolto prima di 72 ore.

☐ D. Il problema maggiore è per le gelaterie, che senza frigoriferi, non posso vendere gelati e granite.

1 E. In questi giorni, nel quartiere Vanchiglietta, le famiglie e i negozianti stanno affrontando numerosi disagi.

☐ F. Tutti gli abitanti e i negozianti si sono arrabbiati e hanno chiesto di risolvere il problema più velocemente dato che in questi giorni le temperature sono di 35°C.

☐ G. Tutti si sono spaventati e hanno pensato ad un'esplosione e hanno iniziato a chiamare la polizia municipale e i vigili del fuoco.

☐ H. Con questo caldo, e senza elettricità, le persone non possono usare i frigoriferi e l'aria condizionata.

☐ I. Lo stesso problema, anche se minore, riguarda i residenti che non possono mettere cibi e bevande in frigorifero.

☐ J. I proprietari di questo bar avevano dimenticato l'aria condizionata accesa per troppe ore consecutive.

☐ K. Nessuna esplosione, ma un guasto elettrico all'interno di un bar in Piazza Vittorio.

Prova N.1

1. C
2. C
3. D
4. B
5. A
6. A
7. B

Prova N.2

B, C, F, H, J, K, O

Prova N.3

1. E
2. B
3. G
4. A
5. K
6. J
7. C
8. F
9. H
10. D
11. I

Completa il testo con gli articoli e le preposizioni semplice e articolate: utilizza le preposizioni fra parentesi. **DEVI SCRIVERE LE RISPOSTE NEL 'FOGLIO DELLE RISPOSTE'.**

Il _____ [0] Museo Egizio di Torino

Il museo egizio è uno dei musei più visitati della città di Torino e organizza numerose iniziative tutti i mesi per attirare sempre più turisti.

Il museo si trova (in) _____ [1] Via Accademia delle Scienze 6, nel centro del capoluogo piemontese. È nato (in) _____ [2] 1824 ed è secondo di importanza solo a quello del Cairo in Egitto. _____ [3] esposizione del museo è dedicata (a) _____ [4] cultura dell'Egitto. _____ [5] sua collezione è molto interessante e ricca (di) _____ [6] pezzi unici che sono stati trovati da archeologi italiani (tra) _____ [7] 1900 e il 1935.

La collezione (di) _____ [8] museo è in continua crescita ed è in continua evoluzione anche _____ [9] sistemazione dei reperti, così da rendere sempre sorprendente e diversa la visita. Sicuramente _____ [10] mummie sono le più apprezzate ma altrettanto lo sono le rappresentazioni (di) _____ [11] animali sacri. (Tra) _____ [12] reperti più importanti ci sono _____ [13] tomba antica di Kha e Merit e il Papiro di Torino.

Cinque anni fa il museo ha registrato 540 mila ingressi, un grande successo.

Per organizzare _____ [14] visita guidata è necessario effettuare la prenotazione (su) _____ [15] sito internet: www.museoegizio.it. Per visitare da soli il museo è sufficiente controllare _____ [16] orari e i prezzi. Il museo è aperto (da) _____ [17] lunedì (a) _____ [18] domenica con orario continuato 9-18,30. Per prenotare è possibile telefonare (a) _____ [19] numero 011.4406903 o scrivere _____ [20] email all'indirizzo info@museitorino.it .

Completa il testo con le forme dei verbi che sono tra parentesi.
DEVI SCRIVERE LE RISPOSTE NEL 'FOGLIO DELLE RISPOSTE'.

Roberto Baggio e il rigore di Pasadena

"ANCORA OGGI___FA___$_0$ MALE".

Roberto Baggio è un ex calciatore italiano che oggi lavora come dirigente sportivo. Nel 2017 (**compiere**) _____$_1$ cinquant'anni e ancora tutti lo (**ricordare**) _____$_2$ come il ragazzo con il codino.

Roberto, come passi solitamente le tue giornate?

Ogni giorno in modo diverso. Le mie giornate difficilmente (**essere**) _____$_3$ vuote. Quando (**giocare**) _____$_4$ la mia giornata (**svolgersi**) _____$_5$ nelle due ore di allenamento e poi ero libero. Oggi invece (**essere**) _____$_6$ più impegnato. Ho un progetto da realizzare.

Di quale progetto parli?

Nei prossimi mesi, quando (**essere**) _____$_7$ pronto, lo (**presentare**) _____$_8$ al pubblico!

Nella tua carriera di calciatore in pochi anni (diventare) _____$_9$ **un campione, ma mai un leader, perché?**

È una questione di carattere. Da giovane (**avere**) _____$_{10}$ paura del giudizio degli altri e non mi sono mai esposto. In età adulta, invece, (**io-cambiare**) _____$_{11}$ e (**iniziare**) _____$_{12}$ ad ascoltare solo le persone veramente importanti e vicine.

In un'intervista, nel 1997, hai detto che i tuoi modelli (essere) _____$_{13}$ **Pelé e Maradona, lo (pensare)** _____$_{14}$ **ancora?**

Certo, loro (**lasciare**) _____$_{15}$ il segno nella storia del calcio mondiale.

Cosa (ricordare) _____$_{16}$ **di quel rigore sbagliato?**

Ancora oggi (**sognare**) _____$_{17}$ quel calcio di rigore sbagliato contro il Brasile, era il 1994. Oggi, a cinquant'anni, (**potere**) _____$_{18}$ dire che è stato un problema di ansia.

Che messaggio vuoi dare ai giovani calciatori?

(**credere**) _____$_{19}$ in voi stessi e (**sognare**) _____$_{20}$ sempre, è essenziale per raggiungere grandi obiettivi.

Completa il testo. Scegli una delle proposte di completamento.
DEVI SCRIVERE LE RISPOSTE NEL 'FOGLIO DELLE RISPOSTE'.

Amici ai tempi dei social

L' **avvento** $_0$ dei social e dell'uso di Internet ha portato molte persone a chiedersi: che fine hanno fatto le _____ $_1$ amicizie? Viviamo ormai in un mondo _____ $_2$ da Internet e social network. Il cellulare è così piccolo quanto indispensabile non solo per chiamate ma anche per messaggi, chat e per _____ $_3$ ai social network. Tutti, piccoli e grandi, usano il telefono per _____ $_4$ su Internet, per cercare informazioni o ancora per _____ $_5$ fotografie, video e musica con gli amici e parenti.

Secondo gli _____ $_6$, della società e dei comportamenti umani, ci sono molti rischi legati all'uso dei telefoni e dei social network, come Facebook e Twitter, tanto da pubblicare numerose _____ $_7$ che spiegano l'origine e la causa di questi problemi. Il rischio principale, soprattutto per gli _____ $_8$ tra i 12 e i 18 anni, è di incontrare sconosciuti che chiedono i dati personali per usarli poi in frodi o furti. I genitori hanno un _____ $_9$ fondamentale nel supervisionare e regolare l'uso e l'accesso ad Internet. Negli ultimi anni si sono diffusi forum ad _____ $_{10}$ libero in cui non esiste alcun filtro nella _____ $_{11}$ di post o domande. In questo modo in molti hanno iniziato a pubblicare insulti e ad utilizzare un linguaggio scorretto.

Nonostante ciò molte persone continuano a rimanere a favore dei social per tre ragioni principali. Innanzitutto perché consentono di _____ $_{12}$ sulle novità, mode e tendenze. Poi perché molte volte coincidono con le _____ $_{,13}$ gli amanti della musica possono usare piattaforme come Youtube o Spotify per ascoltare le canzoni _____ $_{14}$ e condividerle con gli amici. Infine consentono alle persone di comunicare anche quando abitano in paesi diversi. Con Internet le _____ $_{15}$ si sono accorciate e si possono mantenere amicizie anche quando si vive lontani.

0.	a) avvio	b) **avvento**	c) inizio	d) odissea
1.	a) vecchie	b) storiche	c) antiche	d) lontane
2.	a) perso	b) superato	c) dominato	d) vinto
3.	a) accedere	b) passare	c) entrare	d) fare
4.	a) sfogliare	b) girare	c) nuotare	d) navigare
5.	a) tagliare	b) condividere	c) incollare	d) inviare
6.	a) studenti	b) psichiatri	c) studiosi	d) analisti
7.	a) riviste	b) ricerche	c) pagine	d) lettere
8.	a) anziani	b) adulti	c) amici	d) adolescenti
9.	a) ruolo	b) posizionamento	c) progetto	d) peso
10.	a) ingresso	b) entrata	c) accesso	d) uscita
11.	a) recitazione	b) lettura	c) fruizione	d) pubblicazione
12.	a) ampliarsi	b) aggiornarsi	c) esercitarsi	d) realizzarsi
13.	a) passioni	b) scelte	c) ragioni	d) motivazioni
14.	a) rifiutate	b) detestate	c) amate	d) preferite
15.	a) lontananze	b) località	c) distanze	d) misure

Scegli per ogni espressione una delle quattro situazioni di comunicazione.
DEVI SCRIVERE LE RISPOSTE NEL 'FOGLIO DELLE RISPOSTE'.

1. **Maria, stasera vieni alla lezione di nuoto?**
   a. Chiami in piscina per chiedere se c'è la lezione di nuoto.
   b. Chiedi ad una tua amica se verrà alla lezione di nuoto.
   c. Leggi gli orari dei corsi di nuoto.
   d. Parli con l'istruttore del corso di nuoto.

2. **Vendo Fiat 500, colore rosso, anno 2015. Ottime condizioni e prezzo conveniente. Chiamare Antonio 345 8558338.**
   a. È l'annuncio per la vendita di un'automobile usata.
   b. Antonio chiede informazioni per l'acquisto di una Fiat 500.
   c. È la pubblicità della Fiat 500.
   d. Leggi una locandina in una concessionaria.

3. **Ristorante "I pesci in fondo al mar" Via Riviera 10, 56121 Marina di Pisa, telefono 050 45789. Pesce fresco e cucina toscana. Gradita prenotazione.**
   a. È un messaggio nella segreteria telefonica del ristorante.
   b. È una recensione che fa un cliente sul ristorante.
   c. È il consiglio di un'amica su dove mangiare pesce fresco.
   d. È la pubblicità di un ristorante.

4. **Museo del Risorgimento. Ingresso gratuito il sabato sera dopo le ore 20. Per entrare liberamente è necessario confermare la prenotazione sul sito internet.**
   a. È una proposta culturale del preside di una scuola.
   b. È un buono omaggio per visitare il Museo del Risorgimento.
   c. È un dialogo tra due visitatori del museo.
   d. È il regolamento del Museo del Risorgimento.

5. **Un caffè macchiato e un cannolo alla crema, per piacere! Quant'è?**
   a. Chiedi gli ingredienti del cannolo.
   b. Inviti un'amica a fare colazione.
   c. Al bar ordini la colazione.
   d. A casa di un amico chiedi un caffè macchiato.

6. **Il treno regionale 5676 da Torino Porta Nuova a Ivrea delle ore 13,45 partirà con 25 minuti di ritardo. Ci scusiamo per il disagio.**
   a. Scrivi un messaggio ad un amico per scusarti del ritardo.
   b. Sul treno il controllore si scusa del ritardo.
   c. Un annuncio comunica il ritardo di un treno regionale.
   d. Chiami in ufficio per avvisare che il tuo treno è in ritardo.

7. **Buonasera, a quale piano deve andare? Io vado al quinto piano.**
   a. Chiedi ad un tuo amico a quale piano abita.
   b. Sali le scale per andare al quinto piano.
   c. Leggi un annuncio al quinto piano del tuo palazzo.
   d. Sei in ascensore con una signora e chiedi a quale piano deve andare.

8. **Mi scusi signor Roberto, ho finito il latte e devo fare una torta per stasera, me ne può prestare mezzo litro?**
   a. Sei rimasto senza latte e lo chiedi al tuo vicino di casa.
   b. Chiedi al Signor Roberto quanto latte mettere nell'impasto.
   c. Hai messo troppo latte nella torta e al signor Roberto non piace.
   d. Il signor Roberto chiede al supermercato dove si trova il latte.

9. **Martina cosa mangiamo a pranzo? Ti va un piatto di spaghetti al pesto?**
   a. In mensa chiedi un piatto di spaghetti.
   b. Un'amica invita Martina a pranzo.
   c. A casa, la mamma chiede alla figlia cosa vuole mangiare.
   d. In un ristorante ordini spaghetti al pesto.

10. **Signora le consiglio di provare una taglia più piccola, questi pantaloni le stanno un po' larghi.**
    a. Chiedi ad una tua amica come ti stanno i pantaloni.
    b. La commessa di un negozio ti consiglia di provare un'altra taglia.
    c. Chiedi alla commessa una taglia più piccola.
    d. Ti lamenti che i pantaloni che hai comprato sono grandi.

Prova N.1

1. in	6. di	11. degli	16. gli
2. nel	7. tra il	12. tra i	17. dal
3. l'	8. del	13. la	18. alla
4. alla	9. la	14. una	19. al
5. la	10. le	15. sul	20. una

Prova N.2

1. ha compiuto	6. sono	11. sono cambiato	16. ricordi
2. ricordano	7. sarà	12. ho iniziato	17. sogno
3. sono	8. presenterò	13. erano	18. posso
4. giocavo	9. sei diventato	14. pensi	19. credete
5. si svolgeva	10. avevo	15. hanno lasciato	20. sognate

Prova N.3

0. B, 1. A, 2. C, 3. A, 4. D, 5. B, 6. C, 7. B, 8. D, 9. A. 10. C, 11. D, 12, B, 13. A, 14. D, 15. C

Prova N.4

1. B	6. C
2. A	7. D
3. D	8. A
4. B	9. C
5. C	10. B

Descrivi una persona che ti ha lasciato un ricordo particolare e spiega perchè.
Devi scrivere da 100 a 120 parole. DEVI SCRIVERE IL TESTO NEL FOGLIO DELLA
PRODUZIONE SCRITTA - PROVA N.1.

Hai prenotato una camera in un albergo, ma per motivi di lavoro non puoi andarci.
Scrivi una mail o una lettera all'albergo per annullare la prenotazione.
DEVI SCRIVERE IL TESTO NEL FOGLIO DELLA PRODUZIONE SCRITTA - PROVA N.2.
DEVI SCRIVERE DA 50 A 80 PAROLE.

PROVA COMPLETA 2

- **ASCOLTO**

  PROVA N.1, PROVA N.2, PROVA N.3

- **COMPRENSIONE DELLA LETTURA**

  PROVA N.1, PROVA N.2, PROVA N.3

- **ANALISI DELLE STRUTTURE DI COMUNICAZIONE**

  PROVA N.1, PROVA N.2, PROVA N.3, PROVA N.4

- **PRODUZIONE SCRITTA**

  PROVA N.1, PROVA N.2

Ascolta i testi. Poi completa le frasi. Scegli una delle quattro proposte di completamento. Alla fine del test di ascolto, DEVI SCRIVERE LE RISPOSTE NEL 'FOGLIO DELLE RISPOSTE'.

1. **Durante la vacanza in Sardegna, Roberto**
   a. non si è divertito.
   b. ha avuto un problema con la compagnia aerea.
   c. ha perso il bagaglio.
   d. è stato male due giorni.

2. **Il Signor Mario si siede nella sala d'aspetto**
   a. perché è arrivato in ritardo.
   b. per bere un caffè.
   c. perchè il Dottor Tacchi è momentaneamente occupato.
   d. perché il dottore non è in studio.

3. **Manuela vuole prenotare il treno delle sette e mezza, perché**
   a. vuole cercare con calma un ristorante in cui cenare.
   b. vuole evitare il traffico.
   c. ha paura di viaggiare di notte.
   d. ha paura di arrivare in ritardo ad un appuntamento.

4. **Il cameriere propone ai clienti**
   a. un nuovo piatto ai frutti di mare.
   b. un dolce tipico della casa.
   c. un vino da abbinare ai piatti di pesce.
   d. di assaggiare un nuovo vino rosso.

5. **La cantina *Barolo* pubblicizza**
   a. una confezione di vino a soli 28 €.
   b. l'ingresso gratuito alle loro cantine.
   c. un corso di avvicinamento al vino.
   d. un pacchetto con visita e degustazione.

6. **L'associazione ARGO invita i cittadini**
   a. a portare cibo in scatola per i cani abbandonati.
   b. ad adottare i cani abbandonati.
   c. ad educare i bambini al rispetto per gli animali.
   d. a non lasciare i cani da soli a casa.

7. **La discoteca estiva *Cioccolato***
   a. è aperta solo il venerdì.
   b. offre l'ingresso alle donne il venerdì.
   c. accetta prenotazioni solo sul sito web.
   d. apre alle ventidue tutte le sere.

Ascolta il testo. Poi completa le frasi. Scegli una delle quattro proposte di completamento. Alla fine del test di ascolto, **DEVI SCRIVERE LE RISPOSTE NEL 'FOGLIO DELLE RISPOSTE'.**

1. **Il *Salone Internazionale del Libro***
   a. è l'evento più importante della città di Torino.
   b. è nel campo dell'editoria la manifestazione italiana più importante.
   c. si tiene ogni anno in una città diversa.
   d. è alla sua prima edizione.

2. **Nel programma del *Salone Internazionale del Libro***
   a. ci sono gli orari dei seminari di approfondimento.
   b. non ci sono novità rilevanti.
   c. ci sono più di cento eventi.
   d. c'è la descrizione dei venti giorni di esposizione.

3. **Sulla definizione del programma Alessandra Nipotini racconta**
   a. la collaborazione con tutti i partecipanti.
   b. le riunioni con gli editori.
   c. l'importanza del finanziamento della Città di Torino.
   d. i numerosi incontri per definire il calendario.

4. **La decisione del calendario degli eventi**
   a. segue l'andamento della vendita dei biglietti.
   b. considera la chiusura delle scuole.
   c. va incontro alle richieste dei partecipanti.
   d. risponde alle esigenze dei visitatori.

5. **La città di Torino promuove**
   a. visite guidate a biblioteche antiche.
   b. soggiorni scontati nel centro città.
   c. visite gratuite ai musei.
   d. visite guidate solo in lingua inglese.

6. **I minori di 12 anni ricevono**
   a. un regalo.
   b. un buono per l'acquisto di un libro.
   c. venti euro di sconto in tutti i negozi della città di Torino.
   d. un buono spesa da spendere in qualsiasi negozio.

7. **Secondo Alessandra Nipotini, negli ultimi anni**
   a. i turisti hanno visitato solo il Museo dell'Auto.
   b. la città di Torino è diventata famosa per la FIAT.
   c. nessun turista ha deciso di visitare Torino.
   d. sempre più turisti hanno visitato il *Salone del Libro* e la città di Torino.

Ascolta il testo: è una trasmissione radiofonica. Poi leggi le informazioni.
Scegli le 6 informazioni (da A a M) presenti nel testo. Alla fine del test di ascolto,
DEVI SCRIVERE LE RISPOSTE NEL 'FOGLIO DELLE RISPOSTE'.

A. La trasmissione radiofonica *Sapori d'Italia* è ogni lunedì.

B. La trasmissione radiofonica inizia ogni lunedì a mezzogiorno.

C. Il Tiramisu è un dolce tipico solo del Sud Italia.

D. Ci sono numerose varianti alla ricetta orginale.

E. Il Tiramisu è un dolce amato solo in Italia.

F. Gli ingredienti fondamentali sono cinque, tra cui caffè e mascarpone.

G. Nella ricetta pensata per i bambini si aggiunge la Nutella.

H. Il gelato al Tiramisù è tra i più venduti.

I. Nella fiera *Sweet Europe* i pasticceri hanno scelto il gelato come simbolo dell'Italia.

J. Il Tiramisù è stato il piatto ufficiale della sesta giornata internazionale della cucina italiana.

K. Nel 2013 c'è stata a New York un'esposizione commerciale per pasticceri.

L. La vincitrice della gara, durante la sesta giornata internazionale della cucina italiana,
è stata una donna anziana.

M. Il premio è stato di quarantacinquemila euro.

Trascrizione del testo audio

1.

- **Roberto, come è andato il viaggio in Sardegna? (uomo)**

- È andato benissimo, ma purtroppo la compagnia aerea ha perso il mio bagaglio e i primi due giorni sono stati un disastro.(uomo)

- **Mi dispiace! E cosa hai fatto?**

- Ho aspettato due giorni e poi il bagaglio è arrivato e non ho neanche avuto un rimborso!

2.

- **Salve Signorina, ho un appuntamento con il Dottor Tacchi alle 11. (uomo)**

- Buongiorno Signor Mario, purtroppo oggi il dottore è in ritardo, non è ancora arrivato. (donna)

- **Non c'è problema, posso aspettare qui?**

- Venga, si sieda in sala d'aspetto è qui sulla destra. Posso portarle un caffè?

3.

- **Luca hai fatto tu i biglietti per Roma? (donna)**

- No, possiamo farli domani prima di partire, il treno parte alle sette e mezza. (uomo)

- **Meglio di no, compriamoli sul sito Internet. Non voglio perdere il treno altrimenti arriviamo in ritardo e dobbiamo cercare un posto per la cena.**

- Hai ragione Manuela, prenoto subito i biglietti!

4.

- **Buongiorno signori, avete deciso cosa ordinare? (donna)**

- Sì, grazie. Io prendo gli spaghetti allo scoglio e mio marito una pizza con i frutti di mare. (donna)

- **Benissimo. Se vuole le porto una bottiglia di vino bianco, è perfetta con il pesce.**

- La ringrazio. Allora anche una bottiglia di vino bianco fresca.

5.

- La cantina "Barolo" apre le porte al pubblico. Ingresso con visita guidata e degustazione di tre calici di vino a soli 28€. È necessario effettuare la prenotazione sul sito Internet www.barolo.com. Vi aspettiamo!

6.

- L'associazione *Argo* invita adulti e bambini ad andare nelle piazze delle città più grandi per un gesto di solidarietà verso i cani abbandonati. L'associazione raccoglierà cibo in scatola per cani che poi distribuirà nei canili italiani.

7.

- Finalmente, dopo una lunga attesa… riapre la discoteca estiva di Torino, *Cioccolato*. Tutti i venerdì sera ingresso omaggio per le donne e consumazione a dieci euro. Per prenotazione tavoli chiamare lo 011.658877.

Soluzioni

1. B	5. D
2. D	6. A
3. A	7. B
4. C	

Trascrizione del testo audio

Giornalista: Ciao a tutti voi fedeli radioascoltatori del programma *Un libro per amico*. Oggi siamo a Torino dove, come tutti gli anni, si tiene il *Salone Internazionale del Libro,* la manifestazione italiana più importante nel campo dell'editoria. Con me, Alessandra Nipotini, la curatrice di questa manifestazione.

Alessandra Nipotini: Quest'anno ci sono più di 120 eventi legati all'esposizione dei libri. Un programma veramente ricco di novità.

Chi ha deciso il programma di quest'edizione del *Salone Internazionale del Libro?*

È stato un lavoro di squadra. Gli espositori, autori, editori e giornalisti mi hanno contattata e ci siamo riuniti per la prima volta 9 mesi fa.

Come avete deciso il calendario degli eventi?

Abbiamo cercato di concentrare nei fine settimana gli eventi più richiesti e di mettere in settimana gli eventi dedicati alle scuole. In questo modo tutti sono liberi di partecipare, compatibilmente con i loro impegni lavorativi…

Che pensa degli eventi promossi dalla città di Torino in collaborazione con il *Salone Internazionale del Libro*?

Sono molto contenta perché in questo modo i visitatori esterni possono conoscere anche il centro storico attraverso percorsi guidati da personale esperto che parla inglese e francese. È possibile visitare biblioteche con raccolte di libri antichissimi e unici.

Da quest'anno, inoltre, il Comune di Torino regala ai minori di dodici anni un buono spesa con cui comprare un libro, del valore inferiore a venti euro, in una libreria a Torino.

Torino ha una grande storia!

Sì, non solo la FIAT e l'automobile. Molti scrittori hanno deciso di lavorare e vivere a Torino. In questa bellissima città abbiamo un'ottima casa editrice e una grande tradizione libraria. Prima le persone venivano a Torino solo per visitare il Museo dell'Auto. Negli ultimi anni, invece, il *Salone Internazionale del Libro* ha registrato un aumento nel numero di visitatori.

Soluzioni

1. B   5. A
2. C   6. B
3. A   7. D
4. D

Trascrizione del testo audio

Maria Rossi: Buon pomeriggio da Maria Rossi e benvenuti nella nostra rubrica *"Sapori d'Italia".*

Come tutti i lunedì mattina, dalle dieci a mezzogiorno, parliamo di specialità culinarie italiane e nello specifico oggi ci occupiamo di Tiramisù, un dolce le cui origini non sono ancora chiare.

Il Tiramisù è un dolce diffuso in tutta Italia, da Nord a Sud, con modifiche alla ricetta originale secondo i gusti personali. Questo dolce è inoltre il più amato in tutto il mondo.

Su Internet, sui blog di cucina più famosi, è possibile trovare più di dieci varianti alla ricetta originale.

Ma quali sono gli ingredienti della ricetta originale? Sicuramente non possono mancare 5 ingredienti: caffè, savoiardi, zucchero, uova e mascarpone. Le modifiche più diffuse alla ricetta originale sono sicuramente l'aggiunta del latte, per i bambini, o la sostituzione di biscotti più piccoli e dolci ai savoiardi. Nell'ultimo decennio molti pasticceri hanno anche inventato il gelato al Tiramisù che con quello al cioccolato e nell'elenco dei più venduti.

Ci sono stati molti eventi internazionali per festeggiare e promuovere questo dolce. Nel 2006, in occasione della fiera *Sweet Europe,* l'Italia ha scelto proprio il Tiramisù per rappresentare la pasticceria italiana. Successivamente, nel 2013, durante la sesta giornata internazionale della cucina italiana a New York, il Tiramisù è stato il piatto ufficiale. C'è stata una gara in cui i cuochi e i pasticceri italiani hanno preparato il tiramisù per le strade americane. Alla fine della gara la giuria ha votato, la vincitrice è stata una donna veneta di 76 anni che ha preparato un chilo di dolce in soli quarantacinque minuti, un record!

Soluzioni

A

D

F

H

J

L

Leggi il testo.

Roma: un tour fra le bellezze nascoste

1 Roma nasconde agli occhi di frettolosi turisti angoli curiosi e suggestivi che scopriremo du-
2 rante il tour *Roma nascosta*, previsto per la prossima estate, dedicato alla scoperta di quattro
3 monumenti non tanto conosciuti dai turisti stranieri.

4 Ogni anno milioni di turisti, italiani e stranieri, visitano la città eterna, Roma. Le mete preferite
5 sono: il Colosseo, i Fori Romani e Piazza di Spagna.

6 Questo tour, organizzato dalla Regione Lazio e dal Comune di Roma, vuole avvicinare i turisti
7 a opere meno conosciute ma non per questo con minor valore storico e culturale. All'interno
8 del tour sarà possibile degustare prodotti tipici nelle migliori osterie locali.

9 La prima tappa sarà il *Convento di Trinità dei Monti*, costruito fra il 1530 e il 1570, all'interno
10 del quale i turisti potranno ammirare il salone principale che nel 1694 è stato affrescato con
11 una tecnica molto particolare. Nei due corridoi, al primo piano dell'edificio, ci sono due dipinti
12 molto famosi che raffigurano un paesaggio costiero e una chiesa in cima ad una collina. Dopo
13 la visita al convento i partecipanti potranno fare un percorso benessere presso le Terme Trinità
14 ed usufruire di uno sconto vantaggioso.

15 La seconda tappa sarà la *Chiesa di Santa Maria* all'interno della quale sarà possibile ammirare
16 una statua del sedicesimo secolo, considerata una delle reliquie più importanti di Roma.

17 La Chiesa barocca di *Sant'Ignazio* sarà la terza tappa dove sarà possibile partecipare ad un
18 concerto di musica lirica in un ambiente unico e suggestivo. Il costo del biglietto sarà di ven-
19 ticinque euro a persona. Per i gruppi sarà possibile usufruire di una tariffa agevolata. Dopo il
20 concerto tutti gli spettatori potranno degustare vini dolci e biscotti tipici della zona.

21 Come quarta e ultima tappa si visiterà il Giardino Segreto di uno dei palazzi più belli di Roma,
22 il cinquecentesco Palazzo Capodiferro. All'interno di questo giardino, ad accesso libero, c'è
23 un'esposizione permanente di fiori e piante. La facoltà di biologia dell'Università di Roma si
24 occupa della cura delle piante e ne studia la crescita.

25 Il comune di Roma ha deciso di replicare il tour anche nel prossimo autunno se le domande
26 di adesione saranno sufficienti. Ci saranno alcune modifiche al programma estivo, tra cui: un
27 pranzo domenicale a base di formaggi, la partecipazione ad un corso di pittura e l'ingresso
28 al teatro vicino a Palazzo Capodiferro. Il tour sarà gratuito per cinque neolaureati romani che
29 parteciperanno al concorso *L'arte di Roma* che premierà le migliori tesi di laurea nelle discipli-
30 ne artistiche e nello specifico le tesi che trattano la storia degli edifici visitati durante il tour.

Adattato da http://www.asils.it

Completa le seguenti frasi. Scegli una delle quattro proposte di completamento che ti diamo per ogni frase. **DEVI SCRIVERE LE RISPOSTE NEL 'FOGLIO DELLE RISPOSTE'**.

1. **L'obiettivo del tour *Roma nascosta* è**
    a. di promuovere la città di Roma.
    b. di valorizzare i luoghi meno conosciuti.
    c. di avvicinare i giovani all'arte.
    d. di aumentare il numero dei turisti al Colosseo.

2. **Il tour è organizzato**
    a. da privati cittadini.
    b. dalle osterie romane.
    c. da enti pubblici.
    d. dalle università romane.

3. **La prima tappa prevede**
    a. un percorso culturale ed uno benessere.
    b. la frequenza ad un corso di pittura.
    c. l'ingresso gratuito alle terme.
    d. la partecipazione ad una conferenza sul Seicento.

4. **Il costo del biglietto del concerto di musica lirica è**
    a. uguale per tutti.
    b. ridotto per gruppi.
    c. gratuito per i partecipanti al tour.
    d. comprensivo del costo della cena.

5. **L'esposizione di fiori all'interno del Giardino Segreto**
    a. è chiusa al pubblico.
    b. è aperta solo d'estate.
    c. è aperta tutto l'anno.
    d. è promossa dall'Università di Roma.

6. **Il tour autunnale**
    a. avrà lo stesso programma di quello estivo.
    b. prevede un pasto a base di formaggi.
    c. comprende la visita ad un caseificio romano.
    d. partirà sicuramente nel mese di ottobre.

7. **Il concorso *L'arte di Roma* premia**
    a. cinque studenti universitari romani.
    b. le tesi che trattano di un palazzo storico italiano.
    c. i laureati con la votazione più alta.
    d. le tesi che hanno come oggetto alcuni palazzi storici.

Leggi il testo.

Master universitario in economia aziendale

1 Un percorso formativo finalizzato a formare nuove figure professionali dotate di competenze
2 specialistiche per lavorare in aziende locali e multinazionali. Questo Master universitario di I
3 livello prepara professionisti in grado di operare nei mercati dove gli scambi internazionali sono
4 sempre più intensi. Con taglio fortemente operativo, è organizzato con il diretto supporto di
5 protagonisti pubblici, Ministero dell'Economia, e privati, compagnie e multinazionali presenti
6 sul territorio italiano.
7
8 **OBIETTIVI**
9 L'obiettivo del Master in Economia aziendale è formare professionisti in grado di gestire gli
10 scambi internazionali e quindi le importazioni e le esportazioni.
11
12 **DESTINATARI**
13 Il Master si rivolge alle persone tra i 22 e i 35 anni di età in possesso di un titolo universitario
14 della durata minima di tre anni e che svolgono o intendono svolgere attività nei settori legati
15 alla gestione aziendale:
16 • imprenditori e consulenti
17 • ingegneri edili e ambientali
18 • architetti
19 • neolaureati in economia o materie scientifiche
20
21 **MODALITÀ DI SELEZIONE**
22 I candidati devono inviare, esclusivamente via email, la documentazione richiesta entro e non
23 oltre il 3 ottobre. La documentazione richiesta comprende: curriculum vitae, documento di
24 identità, una fototessera e un attestato di conoscenza di una lingua tra l'inglese, il francese e lo
25 spagnolo. Non è necessario allegare una traduzione in lingua inglese, tutti i documenti devono
26 essere inviati in lingua italiana. Dopo la valutazione dei documenti solo i migliori candidati
27 saranno convocati per un colloquio presso la sede principale dell'Università e passare così alla
28 seconda fase della selezione. Il calendario dei colloqui verrà pubblicato sul sito Internet del
29 Master dieci giorni dopo la scadenza dell'invio delle domande.

Leggi le informazioni. Scegli le 7 informazioni (da A a O) presenti nel testo che hai letto. DEVI SCRIVERE LE TUE SCELTE NEL 'FOGLIO DELLE RISPOSTE'.

A. Il percorso formativo analizza esclusivamente la realtà economica italiana.

B. Il Master è coordinato anche da protagonisti pubblici.

C. Lo Stato Italiano finanzia il Master in Economia Aziendale.

D. Il Master forma professionisti che si occupano di commercio con l'estero.

E. Le aziende coinvolte nel Master producono autoveicoli.

F. Per partecipare al Master è necessario non superare i 35 anni di età.

G. Il Master è rivolto a persone con almeno tre anni di esperienza lavorativa.

H. Possono partecipare solo persone laureate.

I. I candidati possono inviare la documentazione tramite posta ordinaria.

J. Le domande possono essere inviate a partire dal 3 ottobre.

K. È necessario allegare alla domanda la certificazione di conoscenza di una lingua straniera.

L. I documenti possono essere inviati in lingua inglese o italiana.

M. Solo alcuni candidati possono accedere alla seconda fase delle selezioni.

N. La sede dei colloqui sarà comunicata successivamente.

O. La data e l'ora del colloquio saranno consultabili sulla pagina web del Master.

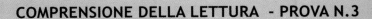
Leggi il testo. Il testo è diviso in 11 parti. Le parti non sono in ordine. Ricostruisci il testo. Scrivi il numero d'ordine accanto a ciascuna parte. DEVI SCRIVERE LE RISPOSTE NEL 'FOGLIO DELLE RISPOSTE'.

Un undici novembre diverso

☐ **A.** Il Signor Beppe si alza subito dalla sedia e, senza bere il caffè, chiama la nonna della bambina e salgono in macchina.

☐ **B.** Mentre è seduto al tavolino vede una bambina in bicicletta con sua nonna che la accompagna a piedi.

☐ **C.** La nonna non riesce a fermare la nipote che è più giovane e veloce di lei.

☐ **D.** Attraversa la strada sulla sua Fiat Panda e si dirige verso la zona industriale.

1 **E.** Il Signor Beppe, un simpatico vecchietto di 88 anni che vive nella provincia di Torino, lo scorso 11 novembre ha modificato la sua routine quotidiana.

☐ **F.** La bambina non si accorge che la nonna non la sta seguendo e prosegue per la strada che porta alla zona industriale.

☐ **G.** La nonna vede la bambina e il Signor Beppe accelera per raggiungerla.

☐ **H.** La nonna, per ringraziarlo, offre il caffè al Signor Beppe che alle 10,15 non l'ha ancora bevuto.

☐ **I.** Una volta raggiunta i due anziani signori accostano, fanno salire la bambina e mettono la bicicletta nel bagagliaio.

☐ **J.** Ad un certo punto la bambina decide di attraversare la strada mentre la nonna parla con una conoscente.

☐ **K.** L'11 novembre verso le 9.00, come tutte le mattine, il Signor Beppe è al bar vicino a casa per bere un caffè.

Prova N.1

1. B
2. C
3. A
4. B
5. C
6. B
7. D

Prova N.2

B, D, F, H, K, M, O

Prova N.3

1. E
2. K
3. B
4. J
5. C
6. F
7. A
8. D
9. G
10. I
11. H

Completa il testo con gli articoli e le preposizioni semplice e articolate: utilizza le preposizioni fra parentesi. DEVI SCRIVERE LE RISPOSTE NEL 'FOGLIO DELLE RISPOSTE'.

Qualcosa bolle $\underline{in}_0$ pentola

La cucina e la buona tavola sono da sempre _____1 aspetto caratterizzante la cultura italiana, così importanti da essere diventate fin (da) _____2 antichità le protagoniste di moltissimi modi di dire e espressioni della saggezza popolare.

(In) _____3 un'epoca in cui tutto scorre velocemente, _____4 pasto rimane ancora un momento di grande importanza, durante _____5 quale l'atto di cucinare si trasforma in un gesto d'amore che va ben oltre la semplice necessità dello sfamarsi.

L'armonia (di) _____6 ingredienti è fondamentale e (per) _____7 italiani il buon cibo è quasi sacro. Se la pizza per un italiano è obbligatoria il sabato sera altrettanto importanti sono _____8 lasagne la domenica a pranzo. Questi due piatti tipici sono amati da adulti e da bambini. Per i più piccoli non possono mancare inoltre le polpette _____9 sugo di pomodoro, la pasta al pesto e _____10 patatine fritte.

Secondo gli italiani le nonne e le mamme sono _____11 migliori cuoche che non hanno niente di meno dei grandi chef stellati. Solo loro possono accontentare _____12 gusti esigenti dei palati italiani. Per esempio _____13 problema difficile, pericoloso e delicato è il metodo (di) _____14 cottura della pasta che come si sa deve essere (a) _____15 dente!

(In) _____16 decenni passati, data l'importanza della pasta, è nata _____17 espressione particolare: qualcosa *bolle in pentola* per indicare qualcuno che sta tramando a nostra insaputa! Insomma il cibo è il primo pensiero degli italiani, è un problema di cui occuparsi (da) _____18 mattina (a) _____19 sera. Gli unici (a) _____20 mondo che parlano di cibo mentre stanno mangiando, chi sono? Gli italiani ovviamente!

Adattato da http://www.asils.it

Completa il testo con le forme dei verbi che sono tra parentesi.
DEVI SCRIVERE LE RISPOSTE NEL 'FOGLIO DELLE RISPOSTE'.

Il falegname: un mestiere dimenticato

Nelle rivelazioni dell'ISTAT, l'Istituto Nazionale di Statistica, i dati (**parlare**) parlano$_0$ chiaro, nessun giovane (**volere**) _____ $_1$ diventare falegname. Fino agli inizi del diciannovesimo secolo tutti i prodotti (**essere**) _____ $_2$ in legno, oggi la situazione (**cambiare**) _____ $_3$ e il Signor Elio ci spiega perché.

Signor Elio, quando (iniziare) _____ $_4$ questo lavoro?

(**Essere**) _____ $_5$ molto giovane, avevo 15 anni. Ai miei tempi i maschi della famiglia (**cominciare**) _____ $_6$ presto a lavorare. Si finiva la scuola media e poi subito in bottega.

Perché (scegliere) _____ $_7$ di diventare proprio un falegname?

Perché mia mamma mi (**raccontare**) _____ $_8$ tutte le serie la fiaba di Pinocchio e io tutte le sere, prima di addormentarmi, pensavo a Geppetto e alla sua bravura.

Oggi Lei è un uomo di successo, (avere) _____ $_9$ una grande azienda e molti dipendenti, qual (essere) _____ $_{10}$ il segreto del suo successo?

L'umiltà e il tanto lavoro. Solo con una grande esperienza e con tanto lavoro è possibile raggiungere traguardi importanti. Io e mio fratello (**aprire**) _____ $_{11}$ la nostra azienda nel 1989, 29 anni fa. Il prossimo anno (**festeggiare**) _____ $_{12}$ il nostro trentesimo anniversario.

La vostra azienda che cosa (produrre) _____ $_{13}$?

Noi (**costruire**) _____ $_{14}$ mobili per interni e per esterni, ma non solo. Siamo gli unici in Italia che ancora producono lettini per neonati e casette di legno da mettere sugli alberi.

La richiesta è sempre molto alta?

Fortunatamente sì. Io penso che la richiesta di prodotti buoni e di qualità non (**diminuire**) _____ $_{15}$ mai.

Signor Elio, quanti giovani falegnami (lavorare) _____ $_{16}$ nella vostra azienda?

I dipendenti totali sono 250 di cui 40 giovani sotto i 22 anni. (**Esserci**) _____ $_{17}$ problemi nei prossimi 10 anni quando gli attuali sessantenni (**andare**) _____ $_{18}$ in pensione.

Perché sempre meno giovani vogliono diventare falegnami?

È un problema della società, non dei giovani. I genitori dei ragazzi che non (**laurearsi**) _____ $_{19}$ negli anni Sessanta e Settanta, (**consigliare**) _____ $_{20}$ ai propri figli di andare all'università, senza pensare però alle possibilità lavorative e alle richieste del mercato.

Completa il testo. Scegli una delle proposte di completamento.
DEVI SCRIVERE LE RISPOSTE NEL 'FOGLIO DELLE RISPOSTE'.

Scegliere la meta$_0$ ideale

Maggio e giugno sono i mesi in cui molte persone iniziano a pensare alle vacanze estive. La domanda comune a tutti è: come _____ $_1$ in modo intelligente?

Innanzitutto è necessario partire dai _____ $_2$ personali. Ci sono persone che preferiscono _____ $_3$ culturali, altri vacanze _____ $_4$ al mare a _____ $_5$ il sole ed infine i più sportivi che preferiscono _____ $_6$ in montagna con traversate faticose e sport estremi.

Dopo aver scelto la tipologia di vacanza bisogna considerare altri _____ $_7$ tra cui: il viaggio, il costo e la durata.

Le famiglie con bambini dovrebbero scegliere mezzi di trasporto _____ $_8$ e veloci, la pazienza dei più piccoli non è molta!

Per gli _____ $_9$ dell'estero i paesi che si possono visitare sono molti ma spesso sorgono dubbi riguardo la sicurezza, i _____ $_{10}$ per la salute o quanto sia giusto visitare certi luoghi per questioni di etica. La maggior parte degli italiani comunque ama rilassarsi e la vacanza balneare in luoghi vicino al _____ $_{11}$ italiano è la preferita.

Infine per gli sportivi e per chi ama la montagna è importante organizzare _____ $_{12}$ attività altrimenti il rischio di annoiarsi è alto. Le attività più amate sono l'arrampicata, le passeggiate nei _____ $_{13}$, con il pranzo al _____ $_{14}$, le terme e i centri _____ $_{15}$ dove potersi dedicare al proprio aspetto fisico e alla propria salute.

0.	a) *destinazione*	b) ***meta***	c) *partenza*	d) *gita*
1.	a) prenotare	b) riservare	c) occupare	d) fermare
2.	a) sapori	b) desideri	c) piaceri	d) gusti
3.	a) attività	b) serie	c) giornate	d) opere
4.	a) noiose	b) rilassanti	c) emozionanti	d) tranquillizzanti
5.	a) sdraiare	b) stare	c) abbronzare	d) prendere
6.	a) esercizi	b) allenamenti	c) escursioni	d) giri
7.	a) fatti	b) elementi	c) principi	d) atteggiamenti
8.	a) comodi	b) confortevoli	c) morbidi	d) soffici
9.	a) amatori	b) amanti	c) esperti	d) utenti
10.	a) segnali	b) danni	c) guai	d) rischi
11.	a) fiume	b) lago	c) mare	d) centro
12.	a) successivamente	b) anteriorimente	c) precedentemente	d) anticipatamente
13.	a) boschi	b) rami	c) cespugli	d) prati
14.	a) secchio	b) cestino	c) sacco	d) sacchetto
15.	a) bellezza	b) benessere	c) salute	d) estetici

Scegli per ogni espressione una delle quattro situazioni di comunicazione.
DEVI SCRIVERE LE RISPOSTE NEL 'FOGLIO DELLE RISPOSTE'.

1. **Ciao Chiara, domani vieni alla lezione di economia del Professor Valli?**
   a. Chiami all'università per chiedere se domani c'è la lezione del Prof. Valli.
   b. Parli con la segreteria della facoltà di economia.
   c. Leggi la pagina web del Prof. Valli.
   d. Chiedi ad una tua amica se verrà all'Università domani.

2. **Affitto appartamento di 80 mq vicino a zona industriale e comodo ai servizi.**
   Chiamare solo se interessati in agenzia, orario ufficio.
   a. È l'annuncio per la vendita di un appartamento di 80 mq.
   b. Un'agenzia cerca appartamenti da vendere.
   c. È l'annuncio di un'agenzia immobiliare.
   d. Leggi la bacheca all'Università per cercare un appartamento.

3. **Barber Shop, nuova apertura! Servizio barba e capelli con i migliori prodotti in commercio.**
   Aperto tutti i giorni con orario continuato.
   a. È un messaggio nella segreteria telefonica di un barbiere.
   b. È una recensione che fa un cliente sui servizi offerti.
   c. È il consiglio di un amico su dove tagliare i capelli.
   d. È la pubblicità di un barbiere.

4. **Cinema Idex. Sette sale, due punti ristoro e uno spazio per bambini, apre all'interno del centro commerciale Il fenicottero. Inaugurazione domenica 15 aprile.**
   a. È un invito al cinema.
   b. È un buono omaggio per la visione di un film.
   c. È la pubblicità dell'apertura di un nuovo cinema.
   d. È il regolamento del nuovo cinema Idex.

5. **Due tranci di margherita, una coca cola e una bottiglietta d'acqua. Quant'è in totale?**
   a. Prenoti due pizze da asporto.
   b. Al bar paghi il conto.
   c. Inviti un tuo amico a mangiare una pizza.
   d. Al supermercato compri pizza e bevande.

6. **Il traghetto Mobi numero 133 con destinazione Olbia è cancellato a causa di mare mosso.**
   a. Un annuncio comunica la cancellazione del traghetto.
   b. Al porto un passante ti avvisa che c'è mare mosso.
   c. Scrivi un messaggio ad un amico per dirgli che ad Olbia c'è mare mosso.
   d. Chiami al porto e chiedi informazioni sulle previsioni meteo.

7. **Vodafone la informa che oggi scade la sua promozione e che per poter continuare ad usare Internet deve fare una ricarica minima di 10 euro.**
   a. Chiedi ad un tuo amico informazioni sul suo piano tariffario.
   b. È un messaggio del tuo gestore telefonico.
   c. Chiedi quanto costa la promozione della Vodafone.
   d. È la pubblicità di una nuova promozione Vodafone.

8. **Buongiorno signora, vorrei due etti di prosciutto crudo e 10 petti di pollo, grazie.**
   a. Sei rimasto senza pollo e lo chiedi al tuo vicino di casa.
   b. Ordini al ristorante.
   c. Fai la spesa in macelleria.
   d. Chiedi a tua mamma di preparare il pollo.

9. **Vorrei sapere il prezzo degli occhiali da sole rossi che ci sono in vetrina, posso anche provarli?**
   a. Compri un paio di occhiali da vista rossi.
   b. Parli con un'amica degli occhiali che avete visto in vetrina.
   c. Chiedi ad una tua amica quanto ha pagato gli occhiali da sole.
   d. Chiedi informazioni in un negozio di ottica.

10. **Mi scusi, devo andare in Corso Re Umberto all'ufficio della Regione Piemonte, a quale fermata devo scendere?**
    a. Chiedi informazioni all'autista dell'autobus.
    b. In biglietteria compri il biglietto dell'autobus.
    c. Chiedi ad un tuo amico dov'è l'ufficio della Regione Piemonte.
    d. Chiami l'ufficio Regione Piemonte e chiedi indicazioni per raggiungerlo.

Prova N.1

1. un	6. degli	11. le	16. nei
2. dall'	7. per gli	12. i	17. un'
3. in	8. le	13. un	18. dalla
4. il	9. al	14. di	19. alla
5. il	10. le	15. al	20. al

Prova N.2

1. vuole	6. cominciavano	11. abbiamo aperto	16. lavorano
2. erano	7. ha scelto	12. festeggeremo	17. ci saranno
3. è cambiata	8. raccontava	13. produce	18. andranno
4. ha iniziato	9. ha	14. costruiamo	19. si sono laureati
5. ero	10. è	15. diminuirà	20. consigliano

Prova N.3

0. B, 1. A, 2. D, 3. A, 4. B, 5. D, 6. C, 7. B, 8. A, 9. B. 10. D, 11. C, 12. D, 13. A, 14. C, 15. B

Prova N.4

1. D	6. A
2. C	7. B
3. D	8. C
4. C	9. D
5. B	10. A

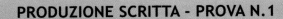

Racconta come passavi di solito le vacanze estive quando eri un bambino.
Devi scrivere da 100 a 120 parole. DEVI SCRIVERE IL TESTO NEL FOGLIO DELLA
PRODUZIONE SCRITTA - PROVA N.1.

Ciao Chiara, come stai? Come hai passato le vacanze?
Io sono appena ritornato dalla Sicilia, il mare era stupendo!
Tu, cosa mi racconti? Vieni a Milano il prossimo fine settimana?
Rispondi a questa email. Nella email devi:
-raccontare le tue ultime vacanze;
-accettare l'invito a Milano per il prossimo fine settimana.
DEVI SCRIVERE IL TESTO NEL FOGLIO DELLA PRODUZIONE SCRITTA - PROVA N.2.
DEVI SCRIVERE DA 50 A 80 PAROLE.

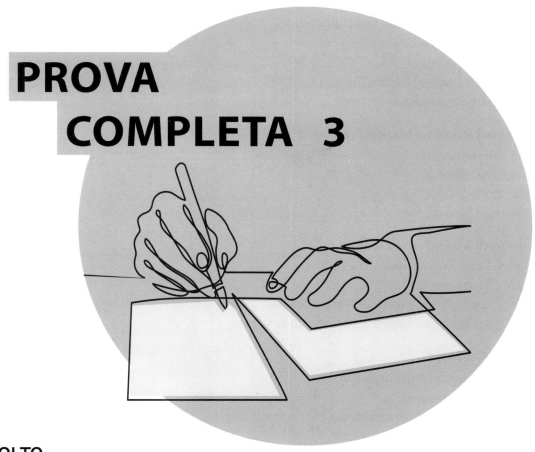

PROVA
COMPLETA 3

- **ASCOLTO**

  PROVA N.1, PROVA N.2, PROVA N.3

- **COMPRENSIONE DELLA LETTURA**

  PROVA N.1, PROVA N.2, PROVA N.3

- **ANALISI DELLE STRUTTURE DI COMUNICAZIONE**

  PROVA N.1, PROVA N.2, PROVA N.3, PROVA N.4

- **PRODUZIONE SCRITTA**

  PROVA N.1, PROVA N.2

Ascolta i testi. Poi completa le frasi. Scegli una delle quattro proposte di completamento. Alla fine del test di ascolto, DEVI SCRIVERE LE RISPOSTE NEL 'FOGLIO DELLE RISPOSTE'.

1. **Luca chiede a Francesca**
   a. un consiglio d'amore.
   b. un consiglio per un regalo.
   c. informazioni su una sua amica.
   d. il numero di telefono di una sua amica.

2. **Marco chiede a Martina un consiglio per**
   a. un ristorante a Genova.
   b. una bella spiaggia.
   c. i traghetti che partono da Genova.
   d. un albergo a Genova.

3. **Durante la settimana bianca, Francesca**
   a. ha speso poco.
   b. ha speso troppo.
   c. ha sciato gratis.
   d. non ha speso niente.

4. **Un uomo chiede informazioni**
   a. per un biglietto ferroviario per sabato.
   b. per un biglietto aereo.
   c. per sapere gli orari dei traghetti per Roma.
   d. per prenotare una cabina sul traghetto di sabato.

5. **La ditta *Il Tuo Sarto***
   a. consente la scelta dei materiali.
   b. vende abiti da sposa.
   c. ha prezzi cari rispetto alla media del mercato.
   d. vende abiti su misura per donne.

6. **Il Casinò di Saint Vincent annuncia**
   a. l'apertura di un centro SPA.
   b. un'offerta imperdibile dal mese di settembre.
   c. l'apertura di nuovi casinò in Italia.
   d. che nel mese di settembre sarà possibile giocare gratuitamente.

7. **L'acquisto dell'ultimo romanzo del Commissario Montalbese consente di**
   a. avere uno sconto.
   b. vincere un premio.
   c. ricevere un premio.
   d. ricevere un ingresso omaggio al museo di storia siciliana.

Ascolta il testo. Poi completa le frasi. Scegli una delle quattro proposte di completamento. Alla fine del test di ascolto, DEVI SCRIVERE LE RISPOSTE NEL 'FOGLIO DELLE RISPOSTE'.

1. **Il Circo delle Pulci è conosciuto perché**
   a. è un circo piccolissimo.
   b. è una scuola di circo.
   c. ci sono spettacoli circensi per bambini.
   d. è una scuola aperta da pochi anni.

2. **Per il Direttore della Scuola il suo lavoro è**
   a. la realizzazione di un sogno.
   b. bello perché ha la possibilità di conoscere molti artisti.
   c. un'opportunità per la carriera futura.
   d. monotono e ripetitivo.

3. **Il Circo delle Pulci ha la sede**
   a. a Roma in via Nomentana.
   b. vicino a Roma.
   c. in centro a Roma.
   d. fuori Roma.

4. **Dopo la Guerra**
   a. alcuni artisti hanno deciso di aprire la Scuola.
   b. alcune famiglie ricche hanno deciso di aprire autonomamente la Scuola.
   c. il comune di Roma non era d'accordo sull'apertura della Scuola.
   d. le famiglie più povere hanno lavorato alla costruzione della Scuola.

5. **Il nome *Circo delle Pulci* ricorda**
   a. sogni ed illusioni.
   b. un circo realmente esistito.
   c. gli ideali e i valori più importanti per gli italiani.
   d. il nome di un libro.

6. **È possibile visitare la scuola**
   a. su appuntamento.
   b. nei giorni indicati sul sito.
   c. solo nel weekend.
   d. durante gli Open Day.

7. **Secondo il Direttore le opportunità di lavoro**
   a. sono come in tutti i lavori particolari.
   b. sono ottime e numerose.
   c. sono ottime solo in Italia.
   d. non sono molte in tutta Europa.

Ascolta il testo: è una trasmissione radiofonica. Poi leggi le informazioni.
Scegli le 6 informazioni (da A a M) presenti nel testo. Alla fine del test di ascolto,
DEVI SCRIVERE LE RISPOSTE NEL 'FOGLIO DELLE RISPOSTE'.

A. La trasmissione radiofonica parla dei grandi centri urbani dell'Umbria.

B. In Basilicata ci sono 2 capoluoghi di provincia.

C. Pisticci si trova nella parte centro-settentrionale della provincia di Matera.

D. La Basilicata perde ogni anno quasi 3.000 persone.

E. Pisticci è una località turistica molto famosa.

F. Intorno a Pisticci ci sono diverse meraviglie naturali.

G. A Marina di Pisticci non ci sono spiagge.

H. Pisticci è la terra dell'Amaro Lucano.

I. Il piatto tipico di Pisticci è a base di carne.

J. Pisticci non ha un piatto tipico.

K. Il Mirto è il liquore tipico della Basilicata.

L. Il Bianco Malvasia è rinomato in queste zone.

M. La Basilicata ha più di 500.000 abitanti.

Trascrizione del testo audio

1.

- Ciao Francesca, ti devo chiedere un consiglio? (uomo)

- Certo Luca, dimmi tutto! (donna)

- C'è una ragazza che mi piace ma non so come dirglielo.

- Non per telefono, diglielo di persona, faccia a faccia.

2.

- Martina, tu che sei di Genova, mi consiglieresti un bell'albergo qui vicino. (uomo)

- Certo Marco. L'albergo migliore di Genova è l'*Excelsior*, ma costoso. Ma ce ne sono altri più economici, come l'albergo *Miramare*.

- Sai quanto costa?

- Credo 50 euro a notte.

3.

- Francesca come è andata la settimana bianca a Bardonecchia? (uomo)

- Marco ti dirò…è andata benissimo! (donna)

- Avete speso molto?

- Purtroppo più del previsto ma ne è valsa la pena.

4.

- Buongiorno, vorrei prenotare un biglietto aereo per Roma. (uomo)

- Allora, per quando? (donna)

- Il primo aereo di sabato?

- No, mi dispiace per sabato è tutto esaurito.

5.

- *Il Tuo Sarto* confeziona abiti da uomo su misura . È possibile scegliere i materiali, i colori e lo stile. I prezzi sono i più competitivi sul mercato!

6.

- Il **Casinò di Saint Vincent** è lieta di comunicare alla sua clientela che dal mese di settembre l'accesso alla SPA sarà gratuito per tutti i clienti.

7.

- Da oggi, in tutte le librerie, è disponibile l'ultimo romanzo della serie de! Commissario Montalbese. Con l'acquisto di quest'ultimo romanzo avrete in omaggio una Guida turistica della Sicilia.

Soluzioni

1. A	5. A
2. D	6. B
3. B	7. C
4. B	

Trascrizione del testo audio

Giornalista: Buongiorno a tutti gli ascoltatori di Radio Italicult, un saluto dalla vostra presentatrice Sara Sarti. Oggi abbiamo in studio un ospite illustre, il Direttore della Scuola di Circo di Roma *Il Circo delle Pulci*, la Scuola più originale di Roma, vero Direttore?

Direttore: Grazie Sara e un buongiorno a tutti gli ascoltatori. Lavorare in questa scuola è la realizzazione di un sogno che avevo da bambino. È un lavoro molto impegnativo, ogni giorno diverso e molto gratificante. Ho a che fare con studenti ed insegnanti originali ed eccentrici.

Ci può dare qualche informazione in più...

Certo. La Scuola si trova a Roma, in Via Nomentana ed è conosciuta in tutto il mondo come la scuola più professionale.

È una scuola molto giovane?

In realtà no. La Scuola è stata aperta già dopo la Guerra da alcune famiglie molto ricche del Lazio che hanno deciso di creare qualcosa che potesse diffondere i valori circensi, con i propri soldi. Ovviamente è stata per anni nell'ombra, soprattutto perché lavorare al Circo non era considerato un lavoro.

Perché Il Circo delle Pulci?

Perché regaliamo un sogno, un'illusione. Dipende dal pubblico crederci.

È possibile visitare la Scuola?

Certo, basta prendere un appuntamento.

Un'ultima domanda...La Scuola offre solo sogni o anche opportunità di lavoro?

Molti dei nostri studenti lavorano in alcuni circhi in Italia ed in Europa, ovviamente è un mondo molto di nicchia ma questo credo succeda in tutti i lavori particolari.

Soluzioni

1. B
2. A
3. A
4. B
5. A
6. A
7. A

Trascrizione del testo audio

Buongiorno da Paolo Villa. Come tutte le mattine oggi parleremo di paesi italiani poco abitati, dove le persone sono sempre meno e il rischio di scomparsa è sempre maggiore.

La Basilicata è una regione italiana che comprende la provincia di Potenza e la provincia di Matera. Altri centri principali, oltre ai due capoluoghi sono Melfi, Pisticci e Policoro. In Basilicata il calo dei residenti è costante. Ogni anno quasi 3.000 persone in meno. Poche nascite, poco lavoro e tanta emigrazione: questi tre elementi caratterizzano una regione che, secondo il rapporto Svimez del 2017, nel 2065 scenderà sotto la soglia dei 400.000, contro gli attuali 570.365.

Oggi parliamo di Pisticci, comune di 18000 abitanti in provincia di Matera. Pisticci si trova nella parte centro-meridionale della provincia.

È la "città bianca", per le sue candide casette dai tetti rossi tutte allineate su lunghe file che sono la particolarità urbanistica del rione Dirupo, incluso nell'elenco delle "100 Meraviglie d'Italia da salvaguardare". Intorno a Pisticci ci sono meraviglie naturalistiche incredibili, tipiche di questo tratto del territorio lucano, i Calanchi, che danno ai paesaggi un'atmosfera intima e lunare. Questi misteriosi Calanchi fanno da cornice all'abitato del paese che, a forma di "S", sembra disegnare un anfiteatro naturale. In una delle diverse frazioni di Pisticci, Marconia, sorge il bel castello di San Basilio, un tempo complesso religioso.

Le spiagge adatte ai bambini fanno di Marina di Pisticci un ideale luogo di vacanza per famiglie che possono godere inoltre della circostante natura incontaminata tipica della costa ionica.

Inoltre Pisticci è la terra dell'"Amaro Lucano", il liquore prodotto artigianalmente sin dal 1894 e noto per il suo gusto inconfondibile. Tra i prodotti tipici spiccano la pasta fatta a mano ed il piatto molto diffuso a base di verdure, fave e cicorie che viene chiamato in dialetto i "lambasciùne". Famosi sono anche i vini del Metapontino, tra i quali il Bianco Malvasia e il Moscato.

Soluzioni

B

D

F

H

L

M

Leggi il testo.

Alba 2019: 33° Meeting Nazionale Giovanissimi di Ciclismo

1 Alba è per i più grandi la città del vino e dei tartufi, per i piccoli la città della merenda: a giugno
2 2019 sarà anche la città del ciclismo!
3 Sono attesi dalla città circa 2 mila giovani atleti da tutta Italia per quella che viene definita
4 «non una competizione sportiva, ma una grande festa per i bambini e le loro famiglie». La
5 Federciclismo italiana ha scelto Alba per il 33° Meeting di società per giovanissimi, unica ma-
6 nifestazione a livello nazionale che coinvolge i ciclisti da 7 a 12 anni. A giugno c'è stata, in
7 municipio, la presentazione dell'evento in programma dal 23 al 26 giugno.
8 Il raduno sarà una «mini-olimpiade» su due ruote, con gare in tutte le discipline ciclistiche, dal-
9 la mountain bike alla gimkana, sprint e su strada, precedute dalla sfilata di presentazione delle
10 società partecipanti nel centro storico. «Un momento di sport che lascerà ampio spazio anche
11 agli aspetti educativi e sociali per i ragazzi - ha detto l'assessore allo Sport, Giovanni Donati - e
12 che contemporaneamente sarà un veicolo di promozione per il territorio di Langhe e Roero,
13 in grado di offrire scenari e strutture di livello per il turismo sportivo». Prosegue il Sindaco di
14 Alba: «Il bello consisterà, verso la fine di giugno, con le colline ancora in fiore, nel vedere tanti
15 ragazzi popolare con le loro biciclette la città ed i dintorni. Per l'Amministrazione comunale
16 sarà un riconoscimento dell'attenzione posta negli ultimi anni nel favorire l'uso della biciclet-
17 ta. Nel frattempo, noi intensificheremo il lavoro progettuale per dotare il territorio di una rete
18 di piste ciclabili che anche i turisti possano usare. Do fin d'ora il benvenuto più cordiale ai
19 giovanissimi atleti, ai loro allenatori ed alle loro famiglie. E invito gli albesi ad accoglierli con la
20 gioia che il loro entusiasmo merita. Speriamo che lo spettacolo delle vostre gare, che già im-
21 magino bellissimo, possa esercitare un benefico influsso e indurre tanti cittadini a cominciare
22 ad usare quel mezzo per i loro spostamenti».
23 Da giugno Alba, oltre all'industria dolciaria, al patrimonio enogastronomico ed a quello am-
24 bientale sarà, nell'immaginario di tantissime famiglie, conosciuta anche quale Capitale del ci-
25 clismo giovanile.

Completa le seguenti frasi. Scegli una delle quattro proposte di completamento che ti diamo per ogni frase. DEVI SCRIVERE LE RISPOSTE NEL FOGLIO DELLE RISPOSTE.

1. **Alba è famosa per**
   a. vini e tartufo.
   b. per la presenza di molti bambini.
   c. per un parco che aprirà nel 2019.
   d. per la presenza importante di biciclette.

2. **A giugno 2019**
   a. sarà aperto un parco giochi.
   b. ci sarà il 33esimo Meeting di ciclismo per giovanissimi.
   c. saranno inaugurate nuove piste ciclabili.
   d. verrà inaugurato un nuovo Parco per ciclisti.

3. **Il 33esimo Meeting di ciclismo per giovanissimi è**
   a. per bambini dai 7 ai 12 anni.
   b. per tutti i bambini.
   c. per tutti.
   d. per adulti e bambini.

4. **Il Meeting si svolgerà**
   a. ad Alba dal 23 al 26 giugno 2019.
   b. ad Alba dal 23 al 26 luglio 2019.
   c. nei comuni vicino ad Alba.
   d. in tutte le Langhe.

5. **I giovani ciclisti gareggeranno**
   a. in tutte le discipline olimpiche.
   b. in tutte le discipline ciclistiche.
   c. solo nelle discipline su strada.
   d. solo in gare di velocità.

6. **Il Comune di Alba spera**
   a. che la Manifestazione porti molti turisti.
   b. che i cittadini siano fieri.
   c. che questa manifestazione invogli i cittadini ad usare la bicicletta.
   d. che aumenti il turismo enogastronomico.

7. **Ad Alba le industrie più importanti sono**
   a. le industrie di biciclette.
   b. le industrie di abbigliamento.
   c. le industrie enogastronomiche e dolciarie.
   d. le industrie del caffè.

Leggi il testo.

Street food all'italiana

1 Solitamente fritto, gustoso, lo si mangia seduti su di una panchina o camminando per la strada
2 e lo si finisce in pochi bocconi… non si tratta del fast food americano, ma del cibo da stra-
3 da tutto italiano!
4 Parte da sempre della tradizione italica, lo street food possiede origini molto antiche, risalenti
5 a circa diecimila anni fa, quando già i Greci descrivevano l'usanza egizia, tradizione del porto
6 di Alessandria che è stata successivamente adottata in tutta la Grecia, di friggere il pesce e di
7 venderlo per strada.
8 Considerato inferiore perché nato dall'esigenza primaria di nutrire il popolo a poco costo,
9 in realtà, è simbolo della tradizione e dell'identità regionale e, per ironia della sorte, proprio
10 la pizza, così amata in tutto il mondo, fa parte di questa categoria, poiché nata dalla necessità
11 di sfamare, per strada, i più poveri.
12 Sono tantissime le specialità, in tutta Italia, che bisognerebbe assaggiare almeno una volta
13 nella vita, a partire dagli arrosticini, tipico piatto abruzzese ricco di storia, costituito da spiedini
14 di carne di pecora.
15 Di tradizione ligure, la farinata è una semplice torta salata realizzata con farina di ceci, acqua,
16 sale e olio extra vergine d'oliva, mentre a Napoli vi aspetterà il cartoccio, che consiste in un
17 cono di carta nel quale è possibile trovare diversi fritti, fra i quali le crocchette di patate ripiene
18 di mozzarella e prosciutto cotto, le famose palle di riso, le mozzarelline in carrozza, la pasta
19 cresciuta ripiena di alghe o di fiori di zucca e le pizzette fritte.
20 In Umbria troviamo la torta al testo, una sorta di piada realizzata con acqua, sale, lievito e fa-
21 rina e farcita con salumi o formaggi a piacere, mentre nei mercati siciliani gusterete il panino
22 con la milza.
23 A Firenze dovrete provare il panino con il lampredotto (o trippa) e in Veneto i cicchetti, stuzzi-
24 chini tipici, simili alle tapas spagnole.
25 Nelle feste e nelle fiere di paese piemontesi, infine, potrete assaggiare i gofri, di solito abbi-
26 nati al prosciutto crudo e alla toma, oppure, al miele o alla marmellata. Sono la versione più
27 povera della gaufre belga, ricetta importata dai minatori piemontesi tornati in patria dopo
28 aver lavorato in Belgio: farina, acqua, lievito e un pizzico di sale formano un composto cotto
29 successivamente in uno stampo che gli conferisce la peculiare forma a nido d'ape.
30 Per i più modaioli, non lasciatevi sfuggire i food truck di Milano, automezzi attrezzati che pro-
31 pongono ricette tradizionali, reinventandole in forma innovativa, sorprendente, pratica e so-
32 prattutto gustosa. Rivisitazione dei classici venditori di panini con la salamella o con la por-
33 chetta, versione italica degli statunitensi hot-dog e hamburger che, a loro volta, discendono
34 dalla tradizione dei poveri migranti provenienti dalle città di Amburgo e Francoforte, propon-
35 gono una cucina più raffinata, gourmet, che punta sulla qualità delle materie prime.

Adattato da http://www.asils.it/street-food-allitaliana/

Leggi le informazioni. Scegli le 7 informazioni (da A a O) presenti nel testo che hai letto. DEVI SCRIVERE LE TUE SCELTE NEL 'FOGLIO DELLE RISPOSTE'.

A. Lo Street Food è un fenomeno moderno.

B. Lo Street Food possiede origini molto antiche.

C. Gli egizi friggevano il pesce e lo vendevano per strada.

D. L'usanza di friggere il pesce è nata in Grecia.

E. La pizza italiana ha origini nobili.

F. Gli arrosticini sono un prodotto tipico dell'Umbria.

G. In Veneto potete trovare il tipico Lampredotto.

H. Il Cartoccio con la frittura è tipico dello Street Food napoletano.

I. Nei mercati siciliani trovate il panino con la milza.

J. I cicchetti sono veneti.

K. In Piemonte potete assaggiare i tipici Gofri.

L. Il Food Truck è tipico di Palermo.

M. A Milano non è molto di moda lo Street Food.

N. Lo Street Food nasce per l'esigenza di sfamare le classi più povere.

O. Lo Street Food nasce per salvaguardare le differenze regionali.

Leggi il testo. Il testo è diviso in 11 parti. Le parti non sono in ordine. Ricostruisci il testo. Scrivi il numero d'ordine accanto a ciascuna parte. **DEVI SCRIVERE LE RISPOSTE NEL 'FOGLIO DELLE RISPOSTE'.**

Il migrante - eroe

- [ ] A. Tutte le mattine e per tutta la giornata il richiedente asilo si sistemava davanti al supermarket.
- [ ] B. Il proprietario del supermarket è accorso sul posto per ringraziare il giovane eroe.
- [ ] C. È un giovane tranquillo e pacato, dai modi gentili e dagli occhi tristi.
- [ ] D. Qualche giorno dopo il fatto, il proprietario del supermarket ha offerto un lavoro al ragazzo che ha accettato subito.
- [1] E. Un richiedente asilo proveniente dalla Nigeria, con un atto di eroismo, ha sventato una rapina al Prestofresco, un supermarket di Barriera di Milano**.**
- [ ] F. Ewansiha Osahon, 27enne con permesso di soggiorno rilasciato per motivi umanitari della questura di Cosenza, si è avventato contro il rapinatore bloccandolo alle spalle.
- [ ] G. La cassiera spaventata si è salvata ed ha ringraziato il giovane.
- [ ] H. L'intervento del migrante-eroe ha sventato la rapina.
- [ ] I. Ewansiha Osahon si è presentato al supermarket per il suo primo giorno di lavoro con un grande sorriso e speranza per una nuova vita.
- [ ] J. Il ladro ha sferrato un pugno al costato del giovane ed ha colpito la cassiera ma poi si è dato alla fuga.
- [ ] K. Ma quando ha visto un malintenzionato minacciare la cassiera, non ci ha pensato due volte.

Prova N.1

1. A, 2. B, 3. A, 4. A, 5. B, 6. C, 7. C

Prova N.2

B
C
H
I
J
K
N

Prova N.3

1. E	2. A
3. C	4. K
5. F	6. J
7. H	8. G
9. B	10. D
11. I	

Completa il testo con gli articoli e le preposizioni semplice e articolate: utilizza le preposizioni fra parentesi. DEVI SCRIVERE LE RISPOSTE NEL 'FOGLIO DELLE RISPOSTE'.

La$_0$ magia della danza

Ognuno di noi ha un suo modo per esprimere se stesso: c'è chi usa _____ $_1$ parole, _____ $_2$ sguardi, i gesti. C'è chi si esprime attraverso la musica, il teatro, la pittura. Poi, (in) _____ $_3$ mezzo a milioni di espressioni, c'è la danza, una diversa combinazione di linguaggi e di arti, una particolare combinazione (di) _____ $_4$ emozioni. Se dovessimo associare la danza ad una parola, probabilmente la più adeguata sarebbe la parola contrasto, perché la danza è spesso fatica e dolore, ma è anche forza e amore. (In) _____ $_5$ danza non ci sono vie di mezzo, bisogna cercare _____ $_6$ perfezione e per far ciò occorrono ore e ore (di) _____ $_7$ allenamenti e prove, per quei pochi istanti (su) _____ $_8$ palco, istanti che però ti permettono di tirare fuori te stesso. Contrasto perché te stesso lo tiri fuori proprio quando smetti di essere quello che sei: non importa se di base sei una persona timida o insicura, forte o abituata a ricevere mille attenzioni. (Su) _____ $_9$ palcoscenico devi riuscire semplicemente ad essere un ballerino, qualcuno che è fiero di tutte _____ $_{10}$ sue fatiche e che non è lì per nessuno se non che per se stesso, e per creare il piacere personale bisogna cercare di creare quello (di) _____ $_{11}$ pubblico, quello (di) _____ $_{12}$ maestro o di chi ti guarda.

Se sei solo devi piacere alla tua immagine (in) _____ $_{13}$ specchio, devi offrire tutto te stesso in modo da trasmettere (a) _____ $_{14}$ tuo pubblico quel brivido che ti sei costruito. Per piacere a qualcuno devi prima piacere a te stesso, altrimenti non sarai mai sicuro di te e ballare non ti darà mai la sensazione di libertà che devi provare. Fare tutto questo non è facile perché bisogna superare (di) _____ $_{15}$ difficoltà che vanno ben oltre il dolore fisico. (in) _____ $_{16}$ danza l'ostacolo maggiore è non piacersi mai, non essere mai abbastanza. Spesso questo porta (a) _____ $_{17}$ competizione e soprattutto all'invidia, all'insicurezza e alla solitudine. No, danzare non è affatto facile ed è per questo che ad un certo punto tu devi prendere consapevolezza di quale sia _____ $_{18}$ tua passione, se sia la danza o no, qualunque tipo (di) _____ $_{19}$ danza, moderna, classica o hip hop, non puoi permetterti di praticarla per qualcuno, puoi solo praticarla per te stesso e decidere se tutta _____ $_{20}$ fatica sia compensata dalla gioia che ballare porta, decidere se il ballare tira fuori la parte migliore di te e ti rende libero.

Completa il testo con le forme dei verbi che sono tra parentesi.
DEVI SCRIVERE LE RISPOSTE NEL 'FOGLIO DELLE RISPOSTE'.

Intervista alla cantante lirica giapponese Masako Ichijo

In Italia (imparare)____ho imparato____(0) a parlare d'amore

Degli oltre 28.000 studenti che, ogni anno, si recano in Italia a studiare nelle scuole ASILS, quasi il 5% **(provenire)**_____ 1 dal Giappone, che rappresenta il quinto paese più rilevante per il numero di presenze.

Ne **(parlare)**_____ 2 con *Masako Ichijo*, cantante presso la *Japan Opera Foundation* e studentessa presso la scuola *CiaoItaly* di Torino.

Da quanto tempo studia l'italiano?

Lo **(studiare)**_____ 3 da due anni. **(Iniziare)**_____ 4 perché dovevo cantare una canzone italiana e **(volere)**_____ 5 comprenderne il significato. Dato che in Giappone non è così facile studiare l'italiano in modo approfondito, **(decidere)**_____ 6 di venire a Torino perché una mia amica aveva già studiato a *CiaoItaly* e me ne aveva parlato bene. La prima volta che **(essere)** _____ 7 a Torino ho avuto l'impressione che ci fosse molta affinità fra la città e la sensibilità giapponese e **(decidere)**_____ 8 di tornarci dopo un anno.

Le è piaciuto stare a Torino? È una città in cui vivrebbe?

(Abitare)_____ 9 vicino alla *Stazione Porta Nuova* e, secondo me, è la zona ideale perché si può andare a piedi in centro ed **(essere)**_____ 10 comodo per raggiungere l'*Accademia della Voce del Piemonte*, dove **(approfondire)**_____ 11 i miei studi lirici. A Torino si vive bene: le persone **(essere)**_____ 12 eleganti e gentili ed è una città sicura, soprattutto non è affollata e veloce come Tokyo. A Torino le persone **(accettare)**_____ 13 la tua individualità e ti rispettano. Questa è la maggiore differenza che **(osservare)**_____ 14 fra l'Italia e il Giappone ed è stato un momento di svolta nella mia vita.

Che cosa Le è piaciuto maggiormente di Torino?

È una città piena d'arte e la gente **(amare)**_____ 15 moltissimo la musica ed i musicisti. In Giappone ci sono poche opportunità di esprimere la propria personalità artistica perché il pubblico non accetta le personalità speciali e **(pensare)**_____ 16 che solo l'arte regolare sia bella.

Che cosa ha scoperto che non immaginava prima di venire in Italia?

Il vero significato dell'amore. In Giappone non si possono esprimere direttamente l'amore e le proprie passioni. I giapponesi **(decifrare)**_____ 17 le emozioni dei propri interlocutori dalle espressioni del volto, mentre in Italia le persone si parlano direttamente e in modo affettuoso e **(esserci)**_____ 18 molte parole d'amore. Si rispetta l'interlocutore anche parlando di queste cose splendide e lodandosi a vicenda. **(Pensare)**_____ 19 che in Italia ci sia molto amore. Prima **(credere)**_____ 20 di dovermi vergognare a parlare d'amore, ma sono orgogliosa di avere imparato a parlarne schiettamente.

Completa il testo. Scegli una delle proposte di completamento.
DEVI SCRIVERE LE RISPOSTE NEL 'FOGLIO DELLE RISPOSTE'.

La (0) fortuna di Francesca

Francesca è nata su un aereo dell'Alitalia e la (1) _____ ha deciso di (2) _____ con un (3) _____ che le permetterà di volare gratis per tutta la vita.

Il 20 dicembre _____ (4), Claudia, di 22 anni, e suo marito Marco erano (5) _____ in aereo a Milano per andare a (6) _____ il Natale dai genitori di lei, a Palermo.

Claudia era incinta, ma era partita (7) _____ perché, secondo i calcoli del (8) _____, mancava ancora un mese alla data di nascita prevista per la sua (9) _____.

Durante il volo, però, la (10) _____ donna ha cominciato a sentire dei dolori molto forti; in poco tempo ha capito che la sua piccola stava per nascere e che non avrebbe fatto in tempo ad arrivare all'aeroporto e all' (11) _____.

Così, con l'aiuto di un medico che era a bordo dell'aereo e di una hostess, è nata, senza (12) _____, sul volo Milano – Palermo: la piccola si chiama Francesca, come la hostess che l'ha aiutata a (13) _____.

Alla piccola, alcuni giorni dopo, hanno dato una tessera che le (14) _____ di volare (15) _____ per tutta la vita sugli aerei dell'Alitalia.

0.	a) *sfortuna*	b) **fortuna**	c) *lista*	d) *salute*
1.	a) direzione	b) compagnia	c) banca	d) guida
2.	a) valorizzarla	b) premiarla	c) danneggiarla	d) urtarla
3.	a) lista	b) biglietto	c) tessera	d) classifica
4.	a) scorso	b) prossimo	c) prima	d) dopo
5.	a) scesi	b) imbarcati	c) saliti	d) caricati
6.	a) visitare	b) passare	c) viaggiare	d) vedere
7.	a) tranquilla	b) agitata	c) preoccupata	d) pensierosa
8.	a) infermiere	b) medico	c) amico	d) passeggero
9.	a) amica	b) bambino	c) bambina	d) mamma
10.	a) giovane	b) antica	c) mamma	d) anziana
11.	a) aeroporto	b) appuntamento	c) ufficio	d) ospedale
12.	a) situazioni	b) complicazioni	c) azioni	d) urti
13.	a) scendere	b) venire	c) nascere	d) arrivare
14.	a) permetterà	b) darà	c) arriverà	d) farà
15.	a) a pagamento	b) gratis	c) a poco	d) per sempre

Scegli per ogni espressione una delle quattro situazioni di comunicazione.
DEVI SCRIVERE LE RISPOSTE NEL 'FOGLIO DELLE RISPOSTE'.

1. **Paola, stasera vieni alla lezione di inglese?**
    a. Chiami la scuola di inglese per chiedere se c'è la lezione.
    b. Chiedi ad una tua amica se verrà alla lezione di inglese.
    c. Leggi gli orari dei corsi di inglese.
    d. Parli con un insegnante del corso di inglese.

2. **Vendo Vespa Piaggio storica, colore rosso, anno 1976. Ottime condizioni e prezzo conveniente. Chiamare Paolo 343 8657339.**
    a. È l'annuncio per la vendita di una Vespa storica.
    b. Antonio chiede informazioni per l'acquisto di una Fiat 500.
    c. È la pubblicità di una Vespa.
    d. Leggi una locandina in una concessionaria.

3. **Albergo "Miramare" Viale Ceccarini 10, Riccione, telefono 345764523. Camere confortevoi e cucina di qualità, pesce fresco e cucina emiliana.**
    a. È un messaggio nella segreteria telefonica dell'albergo.
    b. È una recensione che fa un cliente sull'albergo.
    c. È il consiglio di un'amica su dove mangiare pesce fresco.
    d. È la pubblicità di un albergo.

4. **Museo del Cinema. Ingresso gratuito il sabato sera dopo le ore 20. Per entrare liberamente è necessario riservare l'ingresso sul sito internet.**
    a. È una proposta culturale del preside di una scuola.
    b. È un buono omaggio per visitare il Museo del cinema.
    c. È un dialogo tra due visitatori del museo.
    d. È il regolamento del Museo del Cinema.

5. **Un caffè lungo e un bicchiere d'acqua, per piacere! Quant'è?**
    a. Chiedi gli ingredienti del caffè.
    b. Inviti un'amica a fare colazione.
    c. Al bar ordini la colazione.
    d. A casa di un amico chiedi un caffè macchiato.

6. **Il treno veloce 5676 da Torino Porta Susa a Firenze delle ore 13,45 partirà con 25 minuti di ritardo. Ci scusiamo per il disagio.**
    a. Scrivi un messaggio ad un amico per scusarti del ritardo.
    b. Sul treno il controllore si scusa del ritardo.
    c. Un annuncio comunica il ritardo di un treno.
    d. Chiami in ufficio per avvisare che il tuo treno è in ritardo.

7. **Mi scusi, deve scendere? La prossima fermata è la mia.**
   a. Chiedi ad un tuo amico se deve scendere dall'autobus.
   b. Chiedi ad una signora in ascensore a quale piano deve scendere.
   c. Sei in autobus e cede il tuo posto a sedere.
   d. Sei in autobus e ti prepari per scendere alla prossima fermata.

8. **Mi scusi Maria, ho finito il sale. Me ne può prestare un pochino?**
   a. Sei rimasto senza sale e lo chiedi alla tua vicina di casa.
   b. Chiedi a Maria quanto sale mettere nella pasta.
   c. Hai messo troppo sale nella pasta e a Maria non piace.
   d. Maria chiede al supermercato dove si trova il sale.

9. **Erica, ti va un bicchiere di vino?**
   a. In mensa chiedi un bicchiere di vino.
   b. Un amico offre del vino ad Erica.
   c. Al lavoro, il capo chiede ad Erica di portargli del vino.
   d. In un ristorante ordini vino rosso.

10. **Signora le consiglio di provare una taglia più grande, questa maglietta le sta un po' stretta.**
    a. Chiedi ad una tua amica come ti sta la maglietta.
    b. La commessa di un negozio ti consiglia di provare un'altra taglia.
    c. Chiedi alla commessa una taglia più piccola.
    d. Ti lamenti che la maglietta che hai comprato è grande.

Prova N.1

1. le	6. la	11. del	16. nella
2. gli	7. di	12. del	17. alla
3. in	8. sul	13. nello	18. la
4. di	9. sul	14. al	19. di
5. nella	10. le	15. delle	20. la

Prova N.2

1. proviene	6. ho deciso	11. ho approfondito	16. penso
2. abbiamo parlato	7. sono stata	12. sono	17. decifrano
3. studio	8. ho deciso	13. accettano	18. ci sono
4. ho iniziato	9. ho abitato	14. ho osservato	19. Penso
5. volevo	10. è	15. ama	20. credevo

Prova N.3

0. B, 1. B, 2. B, 3. B, 4. A, 5. C, 6. B, 7. A, 8. B, 9. C. 10. A, 11. D, 12, B, 13. C, 14. A, 15. B

Prova N.4

1. B	6. C
2. A	7. D
3. D	8. A
4. D	9. B
5. C	10. B

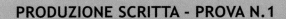

Descrivi un piatto che ti ha lasciato un ricordo particolare e spiega perché.
Devi scrivere da 100 a 120 parole. DEVI SCRIVERE IL TESTO NEL FOGLIO DELLA
PRODUZIONE SCRITTA - PROVA N.1.

Hai comprato un biglietto aereo per Ibiza ma per motivi di lavoro non puoi andarci.
Scrivi una mail o una lettera per richiedere il rimborso.
DEVI SCRIVERE IL TESTO NEL FOGLIO DELLA PRODUZIONE SCRITTA - PROVA N.2.
DEVI SCRIVERE DA 50 A 80 PAROLE.

ESERCIZIARIO

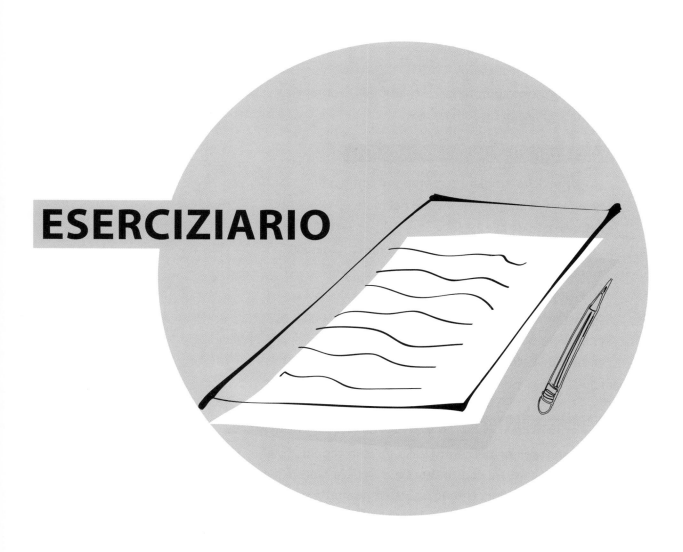

1. Completa con gli articoli determinativi, come nell'esempio.

*Esempio: **Le** sedie intorno al tavolo sono di legno pregiato.*

1. ____ psicologo è ____ dottore che cura ____ problemi di depressione.
2. ____ scoiattoli sono animali che vivono nei boschi italiani.
3. ____ piscina chiude alle 19,30 .
4. ____ edicola è ____ negozio dove comprare ____ quotidiani e ____ riviste.
5. ____ carota è ricca di vitamine e fibre.
6. ____ computer è presente in tutti ____ uffici di questa azienda.
7. ____ palme sono piante esotiche.
8. ____ panorama è mozzafiato!
9. Nel pacchetto sono compresi: ____ colazione, ____ pranzo e ____cena.
10. Ti lascio ____ chiavi di casa sul tavolo.

1B. Completa con gli articoli determinativi.

1. ____ studente deve studiare ____ pronomi combinati.
2. ____ balene sono animali che vivono nel mare.
3. ____ negozio chiude alle 19:30.
4. ____ gioielleria è ____ negozio dove comprare ____ gioielli.
5. ____ arancia è ricca di vitamine.
6. ____ televisore è presente in tutte ____ case.
7. ____ cactus sono piante grasse.
8. ____ paesaggio è meraviglioso!
9. ____ camera da letto è molto piccola
10. Ti lascio ____ soldi per la spesa sul tavolo.

2. Completa con gli articoli determinativi se necessario.

____Toscana è una regione del centro Italia. ____suo capoluogo è ____Firenze ma ci sono altre città, più o meno grandi, da visitare. Tra queste città c'è ____ Lucca. Questa piccola città è circondata da una cinta muraria molto antica. Da visitare ci sono ____ stradine strette e antiche, ____osterie toscane con cibo locale e ____ musei. A Lucca c'è ____ stazione dei treni ed è facilmente raggiungibile da ____ Firenze con ____ treno regionale. Vicino a Lucca c'è ____ Montecatini dove sono molto famose ____ terme e ____ centri benessere.

2B. Completa con gli articoli determinativi se necessario.

____Liguria è una regione del nord Italia. ____suo capoluogo è ____Genova ma ci sono altre città, più o meno grandi, da visitare. Tra queste città c'è ____Savona. Questa piccola città è sul mare ed ha uno dei porti più importantti nel Mediterraneo. Ad Imperia c'è ____stazione dei treni ed è facilmente raggiungibile da ____ Savona con ____treno regionale. Vicino a La Spezia c'è ____ città di Portofino dove trascorrono spesso ____vacanze molti personaggi famosi.

3. Completa con gli articoli indeterminativi, come nell'esempio.

*Esempio: Antonio era **un** mio caro collega, poi ha cambiato lavoro.*

1. Asti è _____ città del Piemonte.
2. Ieri ho assaggiato per la prima volta _____ dolce italiano.
3. Il tiramisù è _____ dessert con caffè e savoiardi.
4. Arta è _____ mia cara amica, l'ho conosciuta molti anni fa.
5. La seta è _____ tessuto pregiato e costoso.
6. Il prossimo anno comprerò _____ nuova macchina perché ne ho bisogno.
7. Ho visto in quel nuovo negozio _____ borsa e _____ zaino in pelle veramente belli.
8. Le uova sono _____ ingrediente fondamentale della pasta alla carbonara.
9. La Juventus ha comprato _____ attaccante brasiliano.
10. Mio fratello ha comprato _____ automobile rossa.

4. Completa con l'articolo determinativo o indeterminativo, come nell'esempio.

*Esempio: Vorrei comprarmi **un** nuovo computer.*

1. Ragazzi avete _____ penna rossa da prestarmi? 2. _____ Sardegna è _____ isola. 3. _____ occhiali da sole sono _____ accessorio indispensabile in spiaggia. 4. _____ agnolotti sono _____ tipica pasta piemontese. 5. _____ api sono animali molto laboriosi che producono _____ miele. 6. Prima di uscire dovete finire _____ compiti! 7. Maria è andata dal parrucchiere per tagliare _____ capelli. 8. Non capiscono _____ cinese, ma parlano bene _____ spagnolo. 9. A giugno _____ acqua del mare è fredda. 10. _____ Ferrari è _____ automobile di lusso.

4B. Completa con l'articolo determinativo o indeterminativo.

1. Paolo ha _____ fratello e _____ sorella.
2. Carlo è _____ fratello di Francesco.
3. _____ signora Anna fa _____ spesa nel supermercato di via Genova.
4. Ho comprato _____ maglia per Francesco
5. Nell'oroscopo cinese _____ 2010 è _____ anno della tigre.
6. _____ medico di mia madre mi ha consigliato di fare _____ aerosol.
7. _____ architetto Rossi si è laureato nel 1999.
8. Sono _____ tre di notte e Franco non è ancora tornato a casa.
9. Tutti _____ giornali hanno parlato della vittoria della medaglia d'oro.
10. Nel novembre 2008 _____ numero degli utenti attivi di Facebook ha raggiunto quota 350 milioni in tutto _____ mondo.

5. Completa con la preposizione semplice corretta, come nell'esempio.

1. Domani partirò _____ Catania.

2. La famiglia Rossi va ogni anno _____vacanza _____ Toscana.

3. Mateus e Victor vengono _____ Lisbona.

4. Stasera andiamo _____ casa _____ Chiara.

5. Per il mio compleanno ho invitato poche persone, è una cena intima _____ amici.

6. Fate silenzio, sto parlando a telefono _____ mia mamma.

7. Il biglietto dell'autobus si compra _____ edicola o _____ tabaccheria.

8. Buongiorno, vorrei una scatola _____ cioccolatini fondenti.

9. È vietato sedersi _____ questa panchina.

10. Convalidare il biglietto prima di salire _____ bordo.

6. Completa con la preposizione semplice o articolata corretta, come nell'esempio.

Le due grandi isole italiane

(In) **In** Italia ci sono due grandi isole: la Sicilia e la Sardegna. Gli italiani amano trascorrerci le vacanze preferendole (a) _____estero. (In)_____queste due isole ci sono sia grandi città, come Palermo e Cagliari, che piccoli paesi. (In)_____ grandi città la vita è frenetica e caotica soprattutto in vicinanza (di) _____ porti mentre (in) _____ piccoli paesi è ancora possibile vedere gli anziani giocare (a) _____ carte e le signore sedute davanti (a) _____ loro case. (Su)_____ tetti ci sono poche antenne per la ricezione del segnale televisivo, la connessione internet è scarsa, insomma la vita è ferma a qualche decennio fa. Le zone più frequentate sono quelle costiere. (In) _____ spiagge ci sono locali e ristorantini tipici, qui (in) _____ mesi estivi ci sono turisti (da) _____ tutto il mondo. Passeggiando (tra) _____ vie dei centri costieri i turisti possono trovare un'infinità di negozi (con) _____ prodotti tipici e souvenir e comprare qualcosa (da) _____ regalare (a) _____ amici e parenti oppure da portare (a) _____ casa propria.

7. Scegli la preposizione corretta, come nell'esempio.

*Esempio: Ho dimenticato le chiavi **in** / **nel** primo cassetto.*

1. Il telefono è **in** / **nella** tua borsa.

2. Vorrei una bottiglia **di** / **dell'** acqua.

3. Il prossimo mese Marco andrà **in** / **a** Parigi.

4. A lezione abbiamo parlato **di** / **con** storia moderna.

5. Il treno partirà **tra** / **con** cinque minuti dal binario undici.

6. L'aereo parte **da** / **a** Torino Caselle e arriva **a** / **in** Roma Fiumicino.

7. Conoscete Chiara **per** / **da** molti anni?

8. Mattia e Marco domani partono finalmente **per le** / **nelle** vacanze.

9. Se avete bisogno di informazioni dovete andare **in** / **all'** ufficio informazioni.

10. **Tra** / **in** dieci anni mio papà andrà in pensione.

7B. Inserisci la preposizione (semplice ed articolata) corretta fra DI, DA.

1. Il ristorante cerca uno chef _____ grande esperienza, specializzato in cucina internazionale.

2. In Toscana si produce olio d'oliva _____ ottima qualità.

3. Gigliola si è innamorata _____ un ragazzo con gli occhi neri come il carbone.

4. Oggi è una giornata _____ caldo quasi estivo.

5. Rosario è un pizzaiolo _____ grande simpatia e gentilezza.

6. La protagonista _____ romanzo è una ragazza svedese

7. Sono una persona _____ buon cuore e cerco di aiutare chi ha bisogno.

8. Sandro era un ragazzo _____ statura media, magro ma muscoloso.

9. L'uomo con il vestito scuro e il vistoso cappello è il padre _____ sposa.

10. Pinocchio non sempre ascoltava i consigli _____ fatina con i capelli turchini.

8. Completa le frasi con uno dei verbi al presente indicativo tra quelli nel riquadro, come nell'esempio.

> andare – dire – dovere – fare – capire – pulire – rimanere
> salire – scegliere – scendere – assaggiare

*Esempio: Di solito **faccio** una pausa caffè verso le undici.*

1. I miei amici _____ qui a Milano per cinque giorni.

2. Signora _____ l'italiano?

3. Noi prendiamo l'ascensore, non _____ mai a piedi.

4. La domenica mattina i miei genitori _____ tutta la casa.

5. Mattia _____ studiare per l'esame, non può uscire.

6. Adesso _____ la torta che hai preparato!

7. Io e Antonio _____ sempre la verità.

8. Quando _____ le scale, fate attenzione perché il pavimento è bagnato.

9. Ogni anno i miei cugini _____ negli Stati Uniti per studiare l'inglese.

10. Martina e Luca oggi vanno in una concessionaria e _____ la nuova macchina.

9. Coniuga i verbi tra parentesi al passato prossimo, come nell'esempio.

*Esempio: L'anno scorso io e i miei amici (andare) **siamo andati** in vacanza a Cuba.*

1. In queste ultime settimane mio papà (lavorare) _____ tantissimo.

2. L'Italia (diventare) _____ una repubblica nel 1946.

3. Una settimana fa (noi-fare) _____ una piccola vacanza in Grecia.

4. L'anno scorso la famiglia Rossi (scegliere) _____ una vacanza alternativa.

5. Un mese fa Caterina (spedire) _____ un pacco in Calabria, ma non è ancora arrivato!

6. Ieri la lezione di italiano (cominciare) _____ un'ora in ritardo.

7. Stanotte (**finire**) _____ di lavorare all'una e sono arrivata a casa alle due, sono stanca morta!

8. Vent'anni fa i miei genitori (**comprare**) _____ questa casa.

9. Negli ultimi anni (**venire**) _____ in Italia molti turisti stranieri.

10. L'aereo AZ2367 (**atterrare**) _____ alle 16:45.

10. Completa il testo con i verbi all'indicativo presente, passato prossimo o imperfetto, come nell'esempio.

Quando (**essere**) **ero** una bambina (**abitare**) _____ in un piccolo paese sul mare in Toscana. Ogni giorno, per andare a scuola, (**prendere**) _____ l'autobus con le mie amichette. Ancora oggi (**noi - ricordarsi**) _____ che un giorno l'autista (**sbagliare**) _____ strada e (**arrivare**) _____ a scuola con un'ora di ritardo. La maestre non ci (**credere**) _____ e ci ha messo in punizione per una settimana. Adesso quando (**io - pensare**) _____ a queste cose (**ridere**) _____ e ho nostalgia di quei momenti passati. L'anno scorso i miei vecchi compagni di classe (**organizzare**) _____ una cena, (**essere**) _____ una serata fantastica! Noi (**parlare**) _____ di quando (**essere**) _____ bambini e (**andare**) _____ a scuola e delle nostre vite attuali. Non (**io – potere**) _____ credere che la nostra vecchia maestra (**lavorare**) _____ ancora nella stessa scuola, quanta pazienza!

10B. Completa le frasi con i verbi al passato prossimo o imperfetto.

1. Quando _____ (**abitare**) in Italia, non mi _____ (**piacere**) il pesce crudo.

2. Ieri mentre _____ (**studiare**), _____ (**arrivare**) la mia fidanzata.

3. Paolo e Cristiano, ieri _____ (**alzarsi**) tardi quindi _____ (**arrivare**) a scuola in ritardo.

4. L'altro ieri, al ristorante, mentre _____ (**mangiare**), Luisa ha letto un articolo sul giornale che _____ (**parlare**) del Giappone.

5. Noi l'anno scorso quando _____ (**essere**) in vacanza _____ (**conoscere**) molte persone simpatiche.

11. Completa il testo con i verbi all'indicativo futuro semplice, futuro composto o al condizionale semplice e composto, come nell'esempio.

*Esempio: La prossima estate io e i miei amici (**andare**) **andremo** in vacanza in Sicilia.*

1. Luca mi ha detto che (**arrivare**) _____ oggi con il treno delle 9,30.

2. Sono molto stanca ultimamente, (**volere**) _____ andare in vacanza.

3. Vi prometto che il prossimo anno (**iscriversi**) _____ in palestra.

4. Compreremo una macchina quando (**guadagnare**) _____ abbastanza soldi.

5. Il prossimo mese la mia compagnia (**assumere**) _____ cento lavoratori.

6. Secondo me, (**dovere**) _____ andare dal medico per il tuo mal di testa.

7. Potrai uscire solo quando (**finire**) _____ i compiti.

8. Non sapevo che Maria (**partire**) _____ oggi.

9. Mi scusi (**potere**) _____ aprire il finestrino?

10. Che ore sono?

    Mah non ho l'orologio, (**essere**) _____ le sei.

12. Unisci le frasi come nell'esempio.

Esempio: Non sono andata al cinema

1. Luca non ha superato l'esame
2. La cena è stata deliziosa
3. Non sono riuscita a salutare Maria
4. Ti ho chiamato a casa, ma
5. Abbiamo comprato la macchina nuova
6. Non hanno cenato
7. Sono andata a cambiare un paio di pantaloni
8. Ieri la riunione è finita alle 20

a. perché era già partita.
b. forse eri già uscito.
c. dopo che avevamo ottenuto il finanziamento.
d. perché non aveva studiato bene.
e. perché era iniziata in ritardo.
f. perché li avevo comprati della taglia sbagliata.
g. perché avevano mangiato troppo a pranzo.
h. il cuoco aveva preparato un'ottima lasagna.
* perché quel film l'avevo già visto.

13. Coniuga i verbi all'imperativo alla seconda persona singolare tu, come nell'esempio.

REGOLAMENTO PISCINA COMUNALE

*Esempio: (**Indossare**) **Indossa** la cuffia.*

1. (**fare**) _____ la doccia prima di entrare in vasca.
2. (**appendere**) _____ l'accappatoio negli appositi attaccapanni.
3. Non (**tuffarsi**) _____ dal trampolino.
4. (**rispettare**) _____ la tua corsia.
5. Non (**appoggiarsi**) _____ al bordo vasca.
6. (**ascoltare**) _____ l'istruttore.
7. (**obbedire**) _____ al bagnino.
8. (**uscire**) _____ dalle scale laterali.
9. (**usare**) _____ le ciabatte negli spogliatoi.
10. (**chiudere**) _____ sempre l'armadietto a chiave.

14. Completa i comparativi di maggioranza con di o che, come nell'esempio.

GLI SPORT

*Esempio: Nel calcio ci sono più attaccanti **che** portieri.*

1. Il campo da calcio è più lungo _____ largo.
2. I giocatori di pallacanestro sono in media più alti _____ tennisti.
3. Il Ping-pong è più famoso in Cina _____ in Italia.
4. In Italia il calcio è più famoso _____ pallavolo.
5. L'hockey è più praticato in Canada _____ negli Stati Uniti.
6. I calciatori guadagnano più _____ nuotatori.

7. Nella dieta degli sportivi ci sono più proteine _____ grassi.

8. La danza moderna è più popolare _____ danza classica.

9. L'abbigliamento degli sciatori è più pesante _____ abbigliamento dei nuotatori.

10. Una racchetta da ping-pong è più piccola _____ una racchetta da tennis.

15. Completa le frasi con i seguenti comparativi e superlativi irregolari, come nell'esempio.

peggiore, massimo, minimo, superiore, inferiore, ottima, pessimo, maggiore, ~~minore~~

Esempio: Mio fratello __minore__ ha 6 anni, lui frequenta la prima elementare.

1. Questo vino non mi piace, è _____ di quello che abbiamo bevuto prima.

2. Le recensioni negative di questo ristorante erano giuste, è veramente _____ .

3. Io abito al terzo piano, al piano _____ abita una famiglia con 3 bambini.

4. Sara non si comporta bene, pensa di essere _____ .

5. Maria ha appena un anno più di sua sorella Carlotta, è la figlia _____ dei Signori Rossi.

6. Questa pizza è _____ , torneremo un'altra volta!

7. La musica è troppo alta, il volume è al _____ .

8. Ho pagato la tariffa _____ perché ho lo sconto studenti.

16 Completare le frasi che seguono con il superlativo assoluto (es. bello - bellissimo) di uno degli aggettivi seguenti:

bello, buono, comodo, costoso, diligente, elegante, faticoso, grande, lento, luminoso, noioso, profumato, rapido, ricco, spazioso, veloce, vivace

1. Franco e la sua famiglia hanno passato delle _____ vacanze al mare.

2. Il lavoro che fa Mario è davvero _____ : deve stare in piedi tutto il giorno.

3. Il figlio di Lisa è _____ : non riesce a stare fermo un secondo!

4. Hai visto come era vestito Mario per la festa di compleanno? Era davvero _____

5. New York è una città _____ ma ha 26 linee della metropolitana.

6. Il gelsomino mi piace molto anche perché è un fiore _____ .

7. Se vuoi una macchina _____ devi comprare una Ferrari.

8. La banana è un frutto _____ di potassio.

9. Il film che abbiamo visto ieri sera non mi è piaciuto: era _____ .

10. Le scarpe che ha comprato Paola non sono belle, ma sono _____ .

11. Maria segue le lezioni con attenzione e fa sempre i compiti. È una studentessa _____ .

12. La nuova casa di Francesca è _____ perché ha molte finestre.

13. Il vino che ha portato Simone è _____ ma è _____ .

14. Sono felice del mio nuovo portatile. Quello che avevo prima era _____ .

15. Andare in treno da Torino a Roma oggi è _____ . Ci vogliono poco più di quattro ore.

17. Preposizione o verbo?

Esempio: **Hai** *comprato il regalo* **a** *Paola?*

1. Ma tu _____ questo CD?

2. Non riesco a fare l'esercizio, mi _____ una mano?

3. _____ visto quanta gente c'era?

4. Per me tu non _____ ancora imparato a comportarti in modo educato.

5. Domenica scorsa _____ giardini ho rivisto i nostri vecchi amici.

6. Se vedi che mi addormento mi _____ un colpo con la mano.

7. La corsa è appena partita, siamo ancora _____ primi giri.

8. Quando arriveremo _____ casa ci riposeremo.

9. Devi mostrarti più spesso _____ tuoi ammiratori.

10. Dove _____ la ricevuta di quel pagamento?

11. Mi _____ il numero di tuo fratello?

12. _____ visto l'ultimo film di Sorrentino?

18. Nome o aggettivo?

Esempio: *Secondo le previsioni domani sarà una* **bella** *giornata di sole.*

1. Mi sento male, vado in _____.

2. Dove trovo un _____ per appoggiare il cappotto?

3. La mia bicicletta ha due gomme _____.

4. Il braccio mi fa male in questo _____.

5. Hai una macchia _____ sulla camicia: è succo d'arancia?

6. Questa notte ho fatto un sogno _____.

7. Io abito in centro, in una _____ un po' stretta.

8. Se vieni a cena da me ti preparo una torta _____.

9. Devo trovare il regalo di _____ per mio padre.

10. Il libro di Paolo è uscito in _____ da un mese.

19. Nome o verbo?

1. I gatti hanno paura dei cani e i topi _____ paura dei gatti.

2. Paola ha molte qualità, ma non mi _____ come si comporta.

3. Il trenino di Mario non _____, vediamo se papà lo sa sistemare.

4. Se mi cade la _____ qui nella sabbia è un disastro.

5. Mi fai _____ il mal di testa.

6. Paolo e Francesca si sono innamorati al mare in _____.

7. Quando passi in ufficio, sali che ti _____ una cosa.

8. I bambini giocano a calcio con il _____.

9. In frigorifero non c'è niente da _____.

10. Devo cambiare l'armadio della camera da _____.

20. Verbo o avverbio?

1. La domenica pomeriggio andiamo _____ al cinema.

2. Appena Paolo mi ha visto mi ha _____

3. Non ho voglia di uscire con voi, mi sento _____ stanca.

4. Oggi non ho voglia di _____ a correre.

5. Maria mi ha consigliato di _____ la mia pettinatura.

6. Francesco è un manager capace ed ha scelto _____ i suoi collaboratori.

7. Tu stai _____ piegato sul tavolo, non è una posizione salutare.

8. Devi studiare più _____.

9. Prima di _____ la strada, guarda bene a destra e a sinistra.

10. Ti sei comportato _____.

21. Nome, aggettivo o verbo?

1. Simone scrive con una grafia _____.

2. Ieri sera al cinema abbiamo visto un _____ film.

3. Io e Paolo preferiamo andare in _____.

4. Quando uscirà il suo _____ libro?

5. Al _____ ho trovato questo cappotto, bello, vero?

6. In questo punto la strada è _____, bisogna essere prudenti.

7. Ci sono delle nuvole molto _____, sta per arrivare il temporale.

8. Qualcuno bussa alla porta, _____ a vedere chi è per favore.

9. Maria _____ troppi dolci, dovrebbe trattenersi un po'.

10. Non bere troppo _____, devi guidare!

ESERCIZIARIO

1.

    1. lo-il-i   2. gli   3. la   4. l'-il-i-le 5. la   6. il-gli   7. le   8. il   9. la-il-la   10. le

1B.

    1. lo-i   2. le   3. il   4. la-il-i   5. l'   6. il-le   7. i   8. il   9. la   10. i

2.

La Toscana è una regione del centro Italia. **Il** suo capoluogo è ___Firenze ma ci sono altre città, più o meno grandi, da visitare. Tra queste città c'è ___Lucca. Questa piccola città è circondata da una cinta muraria molto antica. Da vedere e visitare ci sono **le** stradine strette e antiche, **le** osterie toscane con cibo locale e **i** musei. A Lucca c'è **la** stazione dei treni ed è facilmente raggiungibile da ___Firenze con **il** treno regionale. Vicino a Lucca c'è___ Montecatini dove sono molto famose **le** terme e **i** centri benessere.

2B.

La Liguria è una regione del nord Italia. **Il** suo capoluogo è ___Genova ma ci sono altre città, più o meno grandi, da visitare. Tra queste città c'è ___Savona. Questa piccola città è sul mare ed ha uno dei porti più importantti nel Mediterraneo. Ad Imperia c'è **la** stazione dei treni ed è facilmente raggiungibile da ___Savona con **il** treno regionale. Vicino a La Spezia c'è **la** città di Portofino dove trascorrono spesso **le** vacanze molti personaggi famosi.

3.

    1. una   2. un   3. un   4. una   5. un   6. una   7. una – uno   8. un   9. un   10. un'

4.

    1. una   2. la – un'   3. gli – un   4. gli – una   5. le – il   6. i   7. i   8. il – lo   9. l'   10. la – un'

4B.

    1. un- una   2. il   3. La – la   4. una   5. il – l'   6. il - l' 7. l'   8. le   9. i   10. il - il

5.

    1. per   2. in / in   3. da   4. a / di   5. tra (fra) 6. con   7. in / in   8. di   9. su   10. a

6.

(In) **In** Italia ci sono due grandi isole: la Sicilia e la Sardegna. Gli italiani amano trascorrerci le vacanze preferendole (a) **all'**estero. (In) **In** queste due isole ci sono sia grandi città, come Palermo e Cagliari, che piccoli paesi. (In)**Nelle** grandi città la vita è frenetica e caotica soprattutto in vicinanza (di) **dei** porti mentre (in) **nei** piccoli paesi è ancora possibile vedere gli anziani giocare (a) **a** carte e le signore sedute davanti (a) **alle** loro case. (Su) **Sui** tetti ci sono poche antenne per la ricezione del segnale televisivo, la connessione internet è scarsa, insomma la vita è ferma a qualche decennio fa. Le zone più frequentate sono quelle costiere. (In) **Nelle** spiagge ci sono locali e ristorantini tipici, qui (in) **nei** mesi estivi ci sono turisti (da) **da** tutto il mondo. Passeggiando (tra) **tra le** vie dei centri costieri i turisti possono trovare un'infinità di negozi (con) **con** prodotti tipici e souvenir e comprare qualcosa (da) **da** regalare (a) **a/agli** amici e parenti oppure da portare (a) **a** casa propria.

7.

1. nella   2. di   3. a   4. di   5. tra   6. da / a   7. da   8. per le   9. all'   10. tra

7B.

1.di   2.di   3.di   4.di   5.di   6.del   7.di   8.di   9.della   10.della

8.

rimangono – capisce – saliamo – puliscono – deve – assaggio – diciamo – scendete – vanno – scelgono.

9.

ha lavorato – è diventata – abbiamo fatto – ha scelto – ha spedito – è cominciata – ho finito – hanno comprato – sono venuti – è atterrato

10.

abitavo – prendevo – ci ricordiamo – ha sbagliato – siamo arrivate – ha creduto – penso – rido – hanno organizzato – è stata – abbiamo parlato – eravamo – andavamo – posso – lavora

10B.

1. Abitavo-piaceva   2. studiavo – è arrivata   3. si sono alzati – sono arrivati   4. mangiavo-parlava
5. Eravamo – abbiamo conosciuto

11.

sarebbe arrivato – vorrei – mi iscriverò – avremo guadagnato – assumerà – dovresti – avrai finito - sarebbe partita – potrebbe – saranno

12.

1/d 2/h   3/a   4/b   5/c   6/g   7/f   8/e

13.

fai/fa' - appendi – tuffarti – rispetta – appoggiarti – ascolta – obbedisci – esci – usa – chiudi

14.

che – dei – che – della – che – dei – che – della – dell' – di

15.

peggiore – pessimo – inferiore – superiore – maggiore – ottima – massimo - minima

16.

bellissime - faticosissimo – vivacissimo – elegantissimo – grandissima – profumatissimo – velocissima – ricchissimo – noiosissimo – comodissime – diligentissima – luminosissima – costosissimo – buonissimo – lentissimo – velocissimo.

SOLUZIONI 17. COMPLETAMENTO LOGICO – GRAMMATICALE

Le soluzioni proposte sono indicative. Il tipo di esercizio permette più soluzioni. Noi proponiamo la più probabile.

17

1. hai	2. dai	3. hai	4. hai	5. ai	6. dai	7. ai	8. a	9. ai	10.hai	11.dai	12.hai

18

1. ospedale	2. attaccapanni	3. nuove	4. punto	5. arancione	6. bello	7. via	8. buonissima	9. compleanno	10. libreria

19

1. hanno	2. piace	3. funziona	4. lente	5. venire	6. vacanza	7. do	8. pallone	9. mangiare	10. letto

20

1. spesso	2. salutato	3. troppo	4. andare	5. cambiare	6. bene	7. troppo	8. attentamente	9. attraversare	10. bene

21

1. bellissima	2. bel	3. montagna	4. ultimo	5. negozio	6. pericolosa	7. nere	8. vai	9. mangia	10. vino

VOCABOLARIO
SINTETICO SUDDIVISO
IN CAMPI SEMANTICI

CAMPO SEMANTICO "CIBO"

Italiano	English	Español
cibo	food	comida
pasta	pasta	pasta
spaghetti	spaghetti	espagueti
salsa / sugo	sauce	salsa
riso	rice	arroz
zuppa	soup	sopa
carne	meat	carne
pollo	chicken	pollo
pesce	fish	pescado
tonno	tuna	atún
uova	egg	huevo
pane	bread	pan
salame	salami	salame
prosciutto	ham	jamón
formaggio	cheese	queso
pancetta	bacon	tocino / panceta
salsiccia	sausage	salchicha
mozzarella	mozzarella	musarela
verdura	vegetables	verdura
insalata	salad	ensalada
frutta	fruits	fruta
frittata	omelette	tortilla
sformato	pie	pastel
biscotto	biscuit	galleta
burro	butter	mantequilla
marmellata	marmalade	mermelada
farina	flour	harina
fette biscottate	toast	tostadas
cereali	cereals	cereales
dolci	desert	postres
zucchero	sugar	azúcar
tavola	table	mesa
pasto	meal	comida
colazione	breakfast	desayuno
pranzo	lunch	almuerzo
merenda	snack	merienda
cena	dinner	cena
spuntino	snack	refrigerio/bocadillo
tovaglia	table-cloth	mantel
tovagliolo	napkin	servilleta
posata	cutlery	cubierto
forchetta	fork	tenedor
coltello	knife	cuchillo
cucchiaio	spoon	cuchara
cucchiaino	teaspoon	cucharilla
bicchiere	glass	vaso
tazza	cup	taza
alimenti	food	alimentos
apparecchiare	to set the table	poner la mesa
mangiare	to eat	comer
bere	to drink	beber
preparare	to prepare	preparar
fare	to do	hacer
masticare	to chew	masticar

CAMPO SEMANTICO "SCUOLA"

Italiano	English	Español
la scuola	school	la escuela
lo scuolabus	school bus	el autobús escolar
l'insegnante	teacher	la maestra / el maestro
la studentessa	student	la alumna
lo studente	student	el alumno
la classe	class	la clase
l'aula	classroom	el aula
la lavagna	blackboard	la pizarra / el pizarrón
la cattedra	teacher's desk	el escritorio
il banco	desk	el banco
la lezione	lesson	la lección
la lettura	lecture	la lectura
la scrittura	writing	la escritura
la matematica	mathematics	la matemática
l'alfabeto	alphabet	el alfabeto
i compiti	homework	las tareas
gli appunti	notes	los apuntes
l'esame	exam	el examen
la pagella	school report	la libreta
insegnare	to teach	enseñar
scrivere	to write	escribir
leggere	to read	leer
studiare	to study	estudiar
lo zaino	backpack	la mochila
un astuccio	pencil case	la cartuchera
il quaderno	notebook	el cuaderno
il foglio di carta	sheet of paper	la hoja de papel
il libro	book	el libro
la penna	pen	la lapicera
la matita	pencil	el lápiz
il righello	ruler	la regla
la gomma	rubber	la goma
il temperino o temperamatite	pencil sharpener	el sacapunta
il compasso	compass	el compás
la calcolatrice	calculator	la calculadora
le forbici	scissors	la tijera

CAMPO SEMANTICO "TURISMO"

Italiano	English	Español
albergo	hotel	hotel
appartamento per vacanze	holiday apartment	apartamento de vacaciones
affittacamere	landlord/landlady	alquiler de habitaciones
ostello	hostel	albergue
casa per vacanze	holiday home	casa de vacaciones
campeggio	camping	camping
pensione	guest house	pensión
bed & breakfast	bed & breakfast	bed & breakfast
ostello della gioventù	youth hostel	albergue juvenil
villaggio turistico	resort	complejo turístico
agriturismo	agritourism	agroturismo / turismo rural
rifugio alpinistico	mountain hut	refugio de montaña / albergue de montaña
rifugio escursionistico	hikers' hut	cabaña para excursionistas

CAMPO SEMANTICO "CITTÀ"

Italiano	English	Español
città	city	ciudad
cattedrale / duomo	cathedral	catedral
chiesa	church	iglesia
teatro	theatre	teatro
museo	museum	museo
cinema	cinema	cine
porto	port/harbour	puerto
stazione di treni / di autobus	train/bus station	estación de trenes / de bus
albergo	hotel	hotel
banca	bank	banco
posta	post office	correo
scuola	school	escuela
asilo / scuola materna	nursery school/kindergartenl	jardín de infantes
condominio/ edificio o Immobile	building	edificio
ufficio	office	oficina
edicola	kiosk	kiosco de diarios y revistas
supermercato	supermarket	supermercado
bar	café	bar
negozio	shop/store	negocio
via / strada	street/road	calle
piazza	square	plaza
parco	park	parque
fast food	fast food restaurant	comida rápida
ristorante	restaurant	restaurante
rosticceria	roasted goods shop	parrilla / asador / barbacoa
trattoria	trattoria	trattoria
pasticceria	cake shop	pastelería
pizzeria	pizzeria	pizzería
pub	pub	pub
centro commerciale	shopping centre	centro comercial
edicola	newsstand	quiosco de periódicos
farmacia	pharmacy/drugstore	farmacia
gioielleria	jewelry store	joyería
libreria	bookshop/store	librería
macelleria	butcher's shop	carnicería
negozio di generi alimentari	grocery store	tienda de comestibles
negozio di frutta e verdura	grocery store	negocio de fruta y verduras / verdulería
negozi d'abbigliamento	clothes shop	tienda de ropa
negozi di elettrodomestici	electronics shop	tienda de electrodomésticos
negozi di giocattoli	toys shop	juguetería
negozi di scarpe	shoes store	zapatería
negozi di arredamento	furniture shop	tienda de muebles y decoración
panetteria	bakery	panadería
profumeria	perfume shop	perfumería
pescheria	fishmonger's	pescadería
supermercato	supermarket	supermercado
tabaccheria	tobacconist's/tobacco shop	quiosco
aeroporto	airport	aeropuerto
banca	bank	banco
biblioteca	library	biblioteca
chiesa	church	iglesia
ospedale	hospital	hospital
scuola	school	escuela
stazione dei treni	train station	estación de trenes

stazione degli autobus	bus station	estación de autobuses
teatro	theatre	teatro
ufficio postale	post office	oficina de correos
università	university	universidad

CAMPO SEMANTICO "FAMIGLIA"

Italiano	English	Español
famiglia	family	familia
parente	relative	pariente
parentela	relations	parentesco
papà/padre	dad/father	papá/padre
mamma/madre	mum/mother	mamá/madre
genitori	parents	padres
marito	husband	marido
moglie	wife	mujer
figlio	son	hijo
figlia	daughter	hija
figliastro	step-child	hijastro
fratello	brother	hermano
sorella	sister	hermana
cugino	cousin	primo
cugina	cousin	prima
zio	uncle	tío
zia	aunt	tía
nipote	nephew	sobrino / sobrina
nipote	niece	nieto
nonno	grandfather	abuelo
nonna	grandmother	abuela
bisnonno	great-grandfather	bisabuelo
bisnonna	great-grandmother	bisabuela
cognato	brother-in-law	cuñado
cognata	sister-in-law	cuñada
suocero	father-in-law	suegro

CAMPO SEMANTICO "LAVORO E PROFESSIONI"

Italiano	English	Español
professione / mestiere	profession / occupation	profesión / oficio
agricoltore	farmer	agricultor
architetto	architect	arquitecto
attore	actor	actor
autista	driver	chofer
barista	bartender	barman
cameriere / cameriera	waiter/waitress	camarero
casalinga	housewife	ama de casa
commesso/a	shop assistant	dependiente/empleado
cuoco/a	cook	cocinero
disoccupato/a	unemployed	desocupado
dottore / dottoressa	doctor	doctor
falegname	carpenter	carpintero
farmacista	pharmacist	farmacéutico
giornalista	journalist	periodista
impiegato/a	employee	empleado
infermiere/a	nurse	enfermero
ingegnere	engineer	ingeniero
insegnante	teacher	enseñante
meccanico	mechanic	mecánico
medico	doctor	médico

muratore	builder	albañil
operaio/a	manual worker	obrero
pensionato/a	pensioner	jubilada
professore / professoressa	professor	profesor
ragioniere/a	accountant	contador
scrittore/scrittrice	writer	escritor
segretaria	secretary	secretaria
studente / studentessa	student	estudiante
traduttore / traduttrice	translator / interpreter	traductor
vigile del fuoco	fireman	bombero
regista	director	director cinematográfico
poliziotto	cop	policia
cantante	singer	cantante
musicista	musician	músico
idraulico	hydraulic	fontanero / plomero
ballerino/a	dancer	bailarín / bailarina

CAMPO SEMANTICO "ABBIGLIAMENTO"

Italiano	English	Español
abbigliamento	wardrobe	vestuario
capo / vestito /indumento	clothes	prenda
negozio	shop	negocio
taglia	size	talla
abito da sera	suit / dress	traje
camicia	shirt	camisa
camicia di seta	silk shirt	camisa de seda
canottiera	vest	camiseta
cappotto	coat	sobretodo
giacca in pelle	leather jacket	chaqueta de cuero
giacca a vento	windbreaker	chaqueta rompeviento
gonna	skirt	falda
jeans	jeans	pantalón vaquero
maglietta	t-shirt	camiseta
maglietta a strisce/righe	striped t-shirt	camiseta a rayas
maglione	sweater	pullover / jersey
maglione di lana	woollen sweater	pullover de lana
mutande	panties	braga / bombacha
pantaloni	trousers	pantalones
pantaloni a quadri	checked trousers	pantalones a cuadros
pantaloni in lino	linen trousers	pantalones de lino
tuta sportiva	tracksuit	equipo de gimnasia
scarpe	shoes	zapatos
accessori	accessories	accesorios
scarpe sportive	trainers	zapatillas
sandali	sandals	sandalias
stivali	boots	botas
ciabatte	slippers	chinelas
cappello	hat	sombrero
borsa	handbag / bag	cartera
cravatta	tie	corbata
zaino	rucksack/backpack	mochila
sciarpa	scarf	bufanda
occhiali	glasses	gafas / anteojos
calze	socks	medias
collant	tights	medias / pantys
guanti	gloves	guantes
cintura	belt	cinturón / cinto

CAMPO SEMANTICO "MEZZI DI TRASPORTO"

Italiano	English	Español
macchina / automobile	car	automóvil / coche
aereo	airplane	avión
treno	train	tren
autobus	bus	ómnibus / autobús
biglietteria	ticket-office	taquilla / ventanilla
biglietto	ticket	billete / boleto
fermata	bus stop	parada
nave	boat	barco
cuccetta	bunk bed	litera
moto	motorbike	moto
bicicletta	bike	bicicleta
sedile	seat	asiento
volante	(steering) wheel	volante
cruscotto	dash board	guantera
sportello	door	ventanilla
sicura	safety-catch /car lock /child lock	seguro
finestrino	window	ventanilla
specchietto	driving mirror	espejo retrovisor
fari	headlights	faros
frecce	traffic indicators	señales de tránsito
autoradio	car stereo	radio stereo
cintura di sicurezza	seat belt	cinturón de seguridad
maniglia	handle	manija / manilla
marcia	gear	marcha
antifurto	burglar alarm	alarma antirrobo
motore	engine	motor
benzina	petrol	gasolina
freno	brake	freno
acceleratore	accelerator	acelerador
frizione	clutch	fricción
velocità	speed	velocidad
ruota	wheel	rueda
foro	puncture	pinchazo
ruota di scorta	spare wheel	rueda de auxilio / recambio / epuesto
via / strada	street	calle
autostrada	highway	autopista
semaforo	traffic lights	semáforo
striscia pedonale	zebra crossing	paso de cebra

CAMPO SEMANTICO "IL TEMPO"

Italiano	English	Español
tempo	weather	tiempo
clima	climate	clima
temperatura	temperature	temperatura
vento	wind	viento
sole	sun	sol
luna	moon	luna
pioggia	rain	lluvia
neve	snow	nieve
nebbia	fog	neblina
grandine	hail	granizo
ghiaccio / gelo	ice	hielo
cielo sereno	clear sky	cielo sereno o despejado
raggio di sole	sunbeam	rayo de sol

nuvole	clouds	nubes
temporale	storm	tormenta
fulmine	lightning	rayo / relámpago
uragano	hurricane	huracán
afa	muggy	bochorno / calor sofocante
freddo	cold	frío / helado
gelido	freezing	gélido / glacial
caldo	hot	caluroso
umido	humid	humedo
seco	dry	seco
nuvoloso	cloudy	nublado
ventoso	windy	ventoso
piovoso	rainy	lluvioso
afoso / soffocante	muggy	calor sofocante
mare calmo - piatto / mosso	calm sea / rough sea	mar calmo - sereno / agitado
nevicare	to snow	nevar
piovere	to rain	llover
soffiare	to blow	soplar
splendere - brillare	to shine	brillar
grandinare	to hail	granizar
gelare / ghiacciare	to freeze	helar

 Il glossario è disponibile anche in altre lingue sul nostro sito web; gratuito, scaricabile e stampabile.